Vague de chaleur

Richard Castle

Vague de chaleur

Traduit de l'anglais (États-Unis)
par Évelyne Châtelain

ÉDITIONS FRANCE LOISIRS

Publié aux États-Unis par Hyperion Books
sous le titre *Heat Wave*

Édition du Club France Loisirs,
avec l'autorisation de City Éditions.

Éditions France Loisirs,
123, boulevard de Grenelle, Paris
www.franceloisirs.com

1

Elle adoptait toujours le même rituel pour aller voir le corps. Après avoir détaché sa ceinture de sécurité, pris le stylo coincé par un élastique sur le pare-soleil, passé ses longs doigts sur sa hanche, pour sentir le réconfort de son arme de service, elle marquait toujours une pause. Pas très longue. Juste le temps de prendre une profonde inspiration.

Le temps qu'il lui fallait pour se remémorer un événement qu'elle n'oublierait jamais. Un nouveau corps l'attendait. Elle inspira. Et, au moment où elle ressentit les rebords déchiquetés du trou qu'on avait percé dans sa vie, le lieutenant Nikki Heat était enfin prête. Elle ouvrit la portière pour se mettre au travail.

L'impact des trente-huit degrés Celsius la repoussa presque dans la voiture. New York était une fournaise, et le trottoir ramolli de la 77ᵉ Rue Ouest cédait sous ses pieds, tel du sable mouillé. Heat aurait pu se faciliter la tâche en se garant plus près, mais cela faisait aussi partie du rituel : la petite marche. Toutes les scènes de crime avaient un parfum de chaos, et ces cinquante mètres lui offraient son unique chance de noter ses propres impressions sur l'ardoise encore vide.

Grâce à la torpeur de l'après-midi, le trottoir était presque désert. L'heure de pointe du déjeuner passée, les touristes se rafraîchissaient à l'intérieur du Musée d'histoire naturelle ou cherchaient refuge chez Starbucks, devant une boisson glacée dont le nom se terminait par une voyelle. Malgré son dédain pour les buveurs de café, elle prit note de penser à en boire un elle-même avant de retourner au poste de police.

Elle remarqua un portier devant l'immeuble, de son côté du cordon de sécurité qui entourait la terrasse du café. Sa casquette à la main, la tête entre les genoux, il était assis sur les marches de marbre usées. Elle leva les yeux vers le dais de toile vert chasseur en passant devant lui et lut le nom du bâtiment : *The Guilford*.

Connaissait-elle le policier en uniforme qui lui adressait un sourire ? Elle passa rapidement en revue un diaporama imaginaire de visages, jusqu'à ce qu'elle se rende compte qu'en fait, il la jaugeait. Heat lui rendit son sourire et écarta sa veste de lin pour lui donner un autre sujet de rêverie. Le visage se referma lorsque le jeune agent aperçut l'insigne accroché à la taille. Il souleva le ruban jaune pour la laisser passer. En se relevant, elle le surprit en train de lui lancer un regard libidineux et ne put se retenir.

— On fait un deal : je m'occupe de mes fesses, et vous, vous vous occupez de la foule.

Nikki Heat pénétra sur la scène de crime en passant devant l'estrade vide de l'hôtesse du café.

Toutes les tables de La Chaleur étaient vides, à l'exception d'une, où l'inspecteur Raley, un membre de sa brigade, était installé avec une famille bouleversée, aux visages brûlés par le soleil, qui essayait désespérément de transformer son allemand en déclaration intelligible. Leur déjeuner intact était infesté de mouches. Les moineaux qui, eux aussi, adoraient déjeuner en terrasse, se perchaient sur les dossiers de chaises avant de se jeter avidement sur les frites. Devant la porte de service, l'inspecteur Ochoa leva le nez de son carnet et lui fit un rapide signe de tête pendant qu'il interrogeait un commis au tablier blanc maculé de sang. Le reste du personnel prenait un verre à l'intérieur du bar pour se remettre de ses émotions. Heat se tourna vers la légiste agenouillée et ne put guère leur reprocher leur sensiblerie.

— Homme inconnu, pas de portefeuille, pas de papiers. Entre soixante et soixante-cinq ans, à première vue. Grave traumatisme à la tête, au cou et à la poitrine.

La main gantée de Lauren Parry souleva le drap pour que son amie puisse jeter un œil sur le corps qui gisait sur le trottoir. Nikki jeta un bref regard avant de détourner les yeux.

— Pas de visage ; alors, on va chercher dans les fichiers dentaires. Il n'y a pas vraiment d'autre moyen de l'identifier après un tel choc. C'est ici qu'il a atterri ?

— Non, là-bas.

La légiste indiqua le kiosque de café à emporter, à quelques mètres de là. Le corps était tombé si violemment que le plafond était coupé en deux. Les éclaboussures de glace et de sang avaient déjà séché sur le trottoir au cours des minutes qui s'étaient écoulées depuis la chute. Heat s'approcha de l'endroit et remarqua que les parasols et les murs de pierre du bâtiment étaient également tachés de sang séché, d'éclaboussures de glace fondue et de résidus de tissus organiques. Elle s'approcha autant qu'il était possible sans risquer de contaminer la scène.

— *It's raining men*[1], chantonna une voix.

Nikki ne prit pas la peine de se retourner.

— Rook! murmura-t-elle dans un soupir.

— *Hallelujah*…

Il conserva son sourire, jusqu'à ce qu'elle le regarde en hochant la tête.

— Eh bien, quoi? Ce n'est pas grave, il ne risque pas de m'entendre!

Elle se demandait quel péché elle avait bien pu commettre pour qu'on l'ait affublée de ce type! Ce n'était pas la première fois qu'elle se posait la question, ce mois-ci. Le boulot était déjà bien assez difficile. Ajoutez à cela un journaliste à la langue bien pendue qui jouait les flics, et les journées s'allongeaient d'autant. Elle se réfugia près des grands pots de fleurs qui délimitaient le périmètre de la terrasse et leva les yeux. Rook la suivit.

_____

1. « Il pleut des hommes », paroles d'une chanson écrite par Paul Jabara et Paul Shaffer, interprétée à l'origine (1982) par The Weather Girls et vendue à plus de six millions d'exemplaires. Cette chanson a depuis lors été reprise entre autres par Geri Halliwell en 2001 et Young Divas en 2006. (NDT)

— J'aurais été là plus tôt, mais personne n'a pris la peine de m'appeler. Si je n'avais pas téléphoné à Ochoa, j'aurais tout raté.

— La tragédie qui s'ajoute à la tragédie, quel désastre !

— Vous m'épuisez, avec vos sarcasmes. Écoutez, je ne peux pas effectuer des recherches sur le fin du fin de la police de New York sans avoir accès à tout, et mon accord avec le commissaire stipule que…

— Croyez-moi, je les connais, les termes de l'accord. Je les ai sur le dos jour et nuit. Vous êtes autorisé à examiner tous les cas d'homicides comme les flics dont c'est le métier.

— Alors, vous aviez oublié. J'accepte vos excuses.

— Je n'ai pas oublié, et je n'ai pas entendu d'excuses. De ma part, en tout cas.

— J'ai extrapolé. Vous l'avez crié entre les lignes.

— Un jour, vous m'expliquerez quel service vous avez rendu au maire pour obtenir le droit de me coller.

— Désolé, détective Heat, je suis journaliste et c'est confidentiel.

— Vous avez étouffé une affaire qui le compromettait ?

— Oui. Mon Dieu, vous m'obligez à me trahir, mais vous ne saurez rien de plus !

Ochoa boucla l'interrogatoire du commis, et Heat lui fit signe de s'approcher.

— Je suis passée devant un portier qui semblait avoir mal encaissé le coup. Allez le voir, demandez-lui s'il connaît notre inconnu.

11

Lorsqu'elle se retourna, Rook formait des jumelles avec ses doigts et observait le bâtiment au-dessus du café.

— Je parie pour le balcon du sixième.

— Lorsque vous écrirez votre article, vous pourrez choisir l'étage que vous voudrez, monsieur Rook. Ce n'est pas ce que vous faites tout le temps, vous, les journalistes, spéculer ?

Avant qu'il puisse répondre, elle lui mit un doigt sur les lèvres.

— Mais nous ne sommes pas des journalistes de renom ici. Nous sommes simplement des flics et, c'est bête, il y a toutes ces mesquineries appelées les faits, qu'on doit fouiller et vérifier. Et pendant que j'essaye de faire mon travail, serait-ce trop vous demander d'essayer de respecter les convenances ?

— Pas le moins du monde.

— Merci.

— Jameson ? Jameson Rook ?

Rook et Heat se retournèrent et virent une femme derrière le cordon de sécurité qui faisait de grands signes et sautillait pour attirer l'attention.

— Oh mon Dieu ! C'est lui, c'est Jameson Rook !

Rook lui sourit et lui adressa un petit signe, ce qui ne fit que l'exciter encore un peu plus. La femme passa sous le ruban jaune.

— Hé ! là ! Reculez !

Heat fit un signe à deux hommes en uniforme, mais la femme en bustier et short coupé était déjà à l'intérieur du périmètre et s'approchait de Rook.

— C'est une scène de crime, vous devez sortir.

— Je peux quand même avoir un autographe ?

Heat pesa le pour et le contre. La dernière fois qu'elle avait essayé d'évincer une fan, il avait fallu argumenter pendant dix minutes et passer une heure à rédiger une réponse à la plainte officielle qu'elle avait déposée. Les fans de littérature sont les pires. Elle fit un signe de tête et les policiers en tenue attendirent.

— Je vous ai vu hier matin à la télévision ! Vous êtes encore plus beau en vrai ! (Elle fouilla dans son sac tout en gardant les yeux fixés sur lui.) Après l'émission, je suis sortie et j'ai acheté le magazine pour lire votre article...

Elle sortit le dernier numéro de *First Press* avec, en couverture, Rook et Bono de U2, dans un centre de soins en Afrique.

— Oh ! j'ai un marqueur...

— Parfait.

Il prit le stylo et tendit le bras vers le magazine.

— Non, signez là.

Elle s'approcha d'un pas et baissa le haut de son bustier.

Rook sourit.

— Je crois qu'il va me falloir un peu plus d'encre.

La femme éclata de rire et attrapa le bras de Nikki Heat.

— Vous voyez ! C'est mon auteur préféré !

Cependant, Heat était concentrée sur les marches du Guilford, où Ochoa posait une main compatissante sur l'épaule du portier. Il quitta l'ombre de l'auvent, passa sous le ruban et vint vers elle.

13

— Le portier dit que la victime habitait dans l'immeuble. Sixième étage.

Nikki entendit Rook qui s'éclaircissait la gorge derrière elle, mais ne se retourna pas. Ou il jubilait ou il signait les seins d'une groupie! Elle n'était pas d'humeur à contempler l'un ou l'autre spectacle.

Une heure plus tard, dans le silence solennel de l'appartement de la victime, Nikki Heat, incarnation de la patience compatissante, était assise dans un fauteuil en tapisserie, une antiquité, en face de la veuve et de son fils de sept ans. Le carnet de journaliste à spirales bleu fermé sur ses genoux, sa position très droite de danseuse et le drapé de sa main sur le bras du fauteuil en bois gravé lui donnaient un air régalien. Lorsqu'elle remarqua que Rook l'observait, elle le vit tourner les yeux vers le Jackson Pollock accroché au mur, en face de lui. Les taches de peinture de la toile lui rappelaient le tablier maculé du commis, et, bien que Nikki tentât de résister, son esprit de flic commençait à dérouler la vidéo du capharnaüm du café, des visages effondrés du personnel et du véhicule du médecin légiste qui s'éloignait, emportant le corps du défunt, le magnat de l'immobilier, Matthew Starr.

Heat se demandait si Starr s'était défenestré. L'économie, ou plus exactement l'absence d'économie, avait déclenché des dizaines de tragédies collatérales. Jour après jour, le pays découvrait un nouveau suicide ou un nouveau meurtre déguisé d'un PDG ou d'une grande fortune. Un ego surdimensionné servait-il d'antidote?

À en juger au marché de l'immobilier à New York, Matthew Starr n'avait pas écrit de livre sur le surmoi ; en revanche, il avait sûrement rédigé le mémoire de recherches. Il était toujours le premier pour écrire son nom sur tout ce qui avait un toit. Il fallait lui reconnaître qu'il avait assez de talent pour rester dans la compétition.

De plus, si l'on se fiait à ses dernières excavations, il avait généreusement éponché l'orage en s'attribuant deux étages d'un bâtiment luxueux, à quelques pas de Central Park. Ici, les meubles étaient soit des antiquités, soit des créations de designers.

Le living était un salon grandiose sur deux étages, dont les murs étaient couverts jusqu'au plafond, d'une hauteur de cathédrale, d'œuvres d'art inestimables. On pouvait parier que personne ne laissait des repas de fast-food ni de brochures de serrurier devant la porte.

Un rire étouffé attira son attention vers le balcon où travaillaient les détectives Raley et Ochoa, un duo affectueusement nommé les « Gars ». Kimberly Starr, qui berçait son fils serré dans ses bras, sembla ne pas l'entendre. Heat s'excusa et traversa majestueusement la pièce, sous des mares de lumière venant des fenêtres de l'étage, qui projetaient une aura tout autour d'elle. Elle passa près des spécialistes de la police scientifique qui relevaient les empreintes sur les portes-fenêtres et, ouvrant son carnet à une page blanche, sortit sur le balcon.

— Faites semblant de discuter des notes.

Raley et Ochoa échangèrent des regards confus avant de s'approcher d'elle.

— Je vous ai entendu rire, tous les deux.

— Oh! flûte! s'exclama Ochoa.

Il grimaça, et la goutte de sueur qui perlait au bout de son nez tomba sur la page.

— Écoutez-moi. Je sais que, pour vous, ce n'est qu'une scène de crime comme une autre. Mais pour les membres de cette famille, c'est la seule qu'ils aient jamais connue. C'est compris? Parfait. (Elle se tourna vers la porte avant de se raviser.) Ah! et lorsqu'on sera sortis d'ici, je veux entendre cette plaisanterie. Ça pourrait me servir.

Lorsqu'elle revint, la nounou sortait le fils de Kimberly de la pièce.

— Emmenez Matty quelque part, pendant un moment, Agda, mais pas devant l'immeuble, pas devant l'immeuble!

Elle prit un mouchoir en papier et se tamponna le nez.

Agda s'arrêta dans l'encadrement de la porte.

— Il fait trop chaud aujourd'hui pour aller au parc.

La gouvernante scandinave était un canon. On aurait pu la prendre pour la petite sœur de Kimberly. Comparaison qui poussa Nikki Heat à s'interroger sur la différence d'âge entre Kimberly Starr, qui devait avoir dans les vingt-huit ans, et feu son mari, un homme d'une bonne soixantaine d'années. Pouvait-on parler de femme trophée?

La solution choisie fut le cinéma. Le dernier film des studios Pixar venait de sortir et, si Matty l'avait vu dès le premier jour, il avait envie de le revoir. Nikki pensa à ne pas oublier d'y emmener sa nièce pendant le week-end. Cette petite fille adorait les dessins animés. Presque autant que Nikki.

Rien de tel qu'une nièce pour vous fournir l'excuse idéale pour passer deux heures à profiter d'une joie innocente. Matty Starr s'éloigna en faisant un signe hésitant, sentant que quelque chose ne tournait pas rond, mais encore épargné par la nouvelle qu'il apprendrait bien trop tôt.

— Madame Starr, je vous présente une nouvelle fois toutes mes condoléances.

— Merci.

Sa voix semblait lointaine. D'un geste affecté, elle lissait les plis de sa robe bain de soleil et attendait, immobile, à l'exception du mouchoir en papier qu'elle tordait sur ses genoux d'un air absent.

— Je sais que le moment est mal choisi, mais il y a quelques questions que je dois absolument vous poser.

— Je comprends.

De nouveau, la voix plaintive, mesurée, lointaine... Quoi d'autre encore ? Oui, appropriée.

Heat déboucha son stylo.

— Étiez-vous présents, vous et votre fils, lorsque c'est arrivé ?

— Grâce à Dieu, non. Nous étions sortis.

Nikki Heat prit quelques notes et croisa les mains. Kimberly attendit, faisant rouler entre ses doigts une pierre d'onyx noir de son collier David Yurman, avant de combler le silence.

— Nous étions chez Dino-Bites, sur Amsterdam. Nous avons mangé une soupe au chocolat. C'est du chocolat crémeux avec des dinosaures en guimauve. Matty adore ça !

Rook s'installa sur le fauteuil chippendale en face de Heat.

— Vous savez s'il y avait quelqu'un à la maison?

— Non, je ne crois pas. (Elle sembla le voir pour la première fois.) Nous nous sommes déjà rencontrés? Je crois vous connaître.

Heat intervint pour clore ce chapitre vite fait bien fait.

— Monsieur Rook est journaliste. Il travaille avec nous de manière non officielle. Très peu officielle.

— Journaliste… Vous n'allez pas écrire d'article sur mon mari…

— Non, pas précisément, je fais des recherches sur cette brigade.

— Bon, parce que mon mari n'aurait pas aimé ça. Il trouvait que les journalistes étaient tous des crétins.

Nikki Heat dit qu'elle comprenait parfaitement tout en prenant garde de regarder Rook droit dans les yeux.

— Avez-vous remarqué, ces derniers temps, des changements dans l'humeur ou le comportement de votre mari?

— Matt ne s'est pas suicidé! Ne vous embarquez pas sur cette piste!

Son attitude réservée et composée se vaporisa dans un éclair de fureur.

— Madame Starr, nous ne voulons éliminer aucune…

— C'est impossible! Mon mari nous aimait, moi et notre fils. Il aimait la vie. Il était en train de construire un bâtiment écologique à usage mixte, avec peu d'étages. (Des perles de sueur apparaissaient sous sa frange.) Pourquoi posez-vous des questions aussi stupides au lieu de chercher l'assassin ?

Le détective Heat la laissa s'exprimer. Elle avait connu suffisamment de scènes identiques pour savoir que les plus réservés étaient ceux qui avaient le plus de colère refoulée. À moins qu'elle ne se souvienne d'elle-même, lorsqu'elle était sur la chaise de celui qui avait tout perdu, à dix-neuf ans, et que le monde semblait exploser tout autour d'elle. Avait-elle laissé sortir toute sa rage ou s'était-elle contentée de mettre un gros couvercle dessus ?

— C'est l'été, nous devrions être dans les Hamptons ! Si nous étions à Stormfall, il ne serait rien arrivé !

Voilà, c'était ça l'argent. On ne se contentait pas d'acheter une propriété à East Hampton, on lui donnait un nom ! Stormfall était une demeure isolée, en bord de mer, juste à côté de celle de Steinfeld, avec une vue partielle sur le domaine de Spielberg.

— Je déteste cette ville ! cria Kimberly. Elle me fait horreur, vraiment horreur ! Qu'est-ce que ça signifie, le trois centième meurtre, rien que cette année ! Comme si cela vous faisait encore quelque chose après tout ce temps !

Elle haletait et semblait en avoir terminé. Heat ferma son carnet de notes et contourna la table basse pour aller s'asseoir à côté d'elle, sur le divan.

— Écoutez-moi, vous voulez bien ? Je sais à quel point c'est difficile.

— Sûrement pas !

— J'ai bien peur que si.

Elle attendit un instant que Kimberly comprenne le sens de ses paroles avant de continuer.

— Pour moi, les meurtres ne seront jamais des numéros. Quelqu'un est mort. Un être cher. Quelqu'un avec qui vous pensiez dîner ce soir a disparu. Un petit garçon a perdu son père. Quelqu'un est responsable. Et je peux vous promettre que je ferai de mon mieux pour le trouver.

Apaisée, ou peut-être épuisée par les événements, Kimberly hocha la tête et demanda si on pouvait reporter la suite à plus tard.

— Pour l'instant, j'ai simplement envie de retrouver mon fils.

Elle les laissa poursuivre leur enquête dans l'appartement.

— Je me demandais d'où venaient toutes ces gourous de la déco qu'on voit à la télé ! On doit les élever dans une ferme, quelque part, dans le Connecticut !

— Merci de ne pas m'avoir interrompue en sa présence.

Rook haussa les épaules.

— J'aimerais bien croire que c'est de la sensibilité, mais en fait, c'était à cause du fauteuil. C'est difficile pour un homme de paraître autoritaire, entouré de tels tableaux. Bon, d'accord, maintenant qu'elle est partie, je peux vous dire que j'ai ressenti de mauvaises vibrations.

— Hum, cela ne me surprend pas. Elle a envoyé une belle volée de bois vert contre votre profession ! Même si ce n'est que pure vérité !

Heat tourna la tête de peur que son visage ne trahisse son sourire intérieur et retourna vers le balcon.

Il la suivit.

— Oh ! je vous en prie ! J'ai deux Pulitzer, je n'ai pas besoin de son respect. (Elle sourit en coin.) Bon, je dois dire que j'avais envie de lui raconter que les droits ciné de ma série d'articles sur ma vie en clandestinité avec les Tchétchènes pendant un mois avaient été achetés.

— Et pourquoi vous être abstenu ? Votre vantardise aurait pu fournir une distraction bienvenue et lui faire oublier que son mari venait d'atterrir violemment dans la rue !

Ils sortirent dans la fournaise du balcon, où Raley et Ochoa mouillaient leur chemise.

— Qu'est-ce que vous avez, les Gars ?

— Le suicide, ça nous dit rien qui vaille, dit Raley. Primo, une simple vérification de la peinture fraîche et des résidus de pierre... Quelqu'un a ouvert violemment la porte-fenêtre ; on voit des traces de lutte.

— Deuxio, reprit Ochoa, on a une traînée qui va de la porte jusqu'à... comment ça s'appelle...

— Des dalles de terre cuite, précisa Rook.

— Exact. Ça se voit drôlement bien, là-dessus ! Et ça va jusque-là...

Il s'arrêta au garde-corps.

— C'est là qu'il a basculé dans le vide.

Tous les quatre se penchèrent pour regarder en contre-bas.

21

— Waouh! Six étages plus bas… C'est bien ça, hein? On est au sixième?

— Laissez tomber, Rook! dit Nikki.

— Mais on a mieux!

Ochoa se mit à genoux pour indiquer quelque chose sur la balustrade avec son stylo.

— Il faut regarder de près.

Il recula pour laisser place à Heat qui s'agenouilla.

— Ce sont des fibres textiles. Après les tests, le type de la scientifique dira que c'est du jean bleu. Comme la victime ne portait pas de jean, cela vient d'ailleurs.

Rook s'accroupit à côté d'elle.

— Comme si quelqu'un l'avait fait passer par-dessus bord…

Heat hocha la tête, tout comme Rook. Ils se tournèrent l'un vers l'autre; elle était un peu effrayée par cette proximité, mais elle ne recula pas. Nez à nez avec Rook, elle accrocha son regard et observa la danse des rayons de soleil qui se reflétaient dans l'iris. Elle cligna des yeux. *Oh non! Manquerait plus que ça! Que je sois attirée par ce type! Il n'en est pas question!*

Le détective Heat se redressa brusquement, reprenant son attitude tranchée et professionnelle.

— Les Gars? Je veux que vous fouilliez le passé de Kimberly Starr. Et vérifiez son alibi chez ce glacier, sur Amsterdam.

— Alors, vous aussi, vous avez de mauvaises vibrations?

— Je n'ai pas de vibrations, je mène une enquête de police, répliqua-t-elle avant de s'engouffrer dans l'appartement.

Plus tard, dans l'ascenseur, elle demanda enfin :

— Bon, qu'est-ce qui vous faisait rire à tel point que vous auriez mérité que je vous étrangle à mains nues ? Et vous savez que j'en suis capable !

— Oh ! rien, c'était nerveux, vous savez, dit Ochoa.

— Non, rien du tout, confirma Raley.

Deux étages silencieux plus bas, ils commencèrent à fredonner *It's Raining Men* avant d'éclater de rire.

— Quoi ? C'est ça ?

— Ça, c'est un des moments dont je suis le plus fier ! dit Rook quand ils furent dans la fournaise, sous l'auvent du Guilford. Vous ne devinerez jamais qui a écrit cette chanson !

— Je ne connais jamais les auteurs, dit Raley.

— Celui-là, si !

— Elton John ?

— Faux.

— Un indice ?

Le cri d'une femme déchira le brouhaha de l'heure de pointe. Nikki Heat sursauta sur le trottoir et tourna la tête de droite et de gauche pour scruter la rue.

— Là-bas, dit le portier en indiquant Columbus. Madame Starr !

Heat suivit son regard et vit une grosse main attraper l'épaule de Kimberly Starr et la plaquer contre une vitrine, qui trembla sans se briser.

Nikki se mit à courir, suivie de près par les trois autres. Elle brandit son insigne en criant aux passants de dégager le passage, tandis qu'elle fendait la piste des travailleurs qui sortaient des bureaux. Raley prit sa radio et appela des renforts.

— Police ! hurla Heat.

Profitant de l'instant de panique de l'agresseur, Kimberly lui assena un coup à l'entrejambe, qui rata sa cible de loin, si bien qu'elle retomba sur le trottoir. L'homme était déjà en fuite.

— Ochoa ! cria Heat en indiquant Kimberly.

— Ochoa s'arrêta pour s'occuper d'elle pendant que Raley et Rook suivaient Heat, évitant les voitures sur le passage piéton de la 77ᵉ Rue. Un car de touristes qui faisait un demi-tour illicite leur bloquait le passage.

Heat passa par l'arrière du bus, aspira une bouffée brûlante de vapeur de diesel et ressortit sur le trottoir pavé qui entourait le complexe du musée.

L'homme avait totalement disparu. Heat ralentit l'allure avant de se précipiter en face du magasin Evelyn sur la 78ᵉ Rue. Raley donnait leur situation et la description de l'agresseur dans son talkie-walkie.

— … race blanche, trente-cinq ans, dégarni, un mètre quatre-vingts, chemise blanche à manches courtes, jean bleu…

À l'angle de la 81ᵉ Rue et de Columbus Avenue, Heat s'arrêta et fit demi-tour. Un écran de sueur luisait sur sa poitrine et dessinait un profond V sur son chemisier. Elle ne manifestait aucun signe de fatigue, simplement un fort niveau d'attention qui lui permettait d'observer de loin et de près en même temps, sachant qu'un infime détail lui suffirait pour retrouver sa piste.

— Il n'était pas si affûté que ça, dit Rook, un peu essoufflé. Il n'a pas pu aller bien loin.

Elle se tourna vers lui, à la fois un peu étonnée qu'il ait pu suivre et agacée par sa présence.

— Qu'est-ce que vous fichez ici, Rook ?

— Une paire d'yeux supplémentaire, détective.

— Raley, je fouille Central Park et l'enceinte du musée. Prenez la 81e, filez vers Amsterdam et revenez par la 79e.

— OK.

Il se faufila à travers le flot des passants sur Columbus.

— Et moi ?

— Vous avez peut-être remarqué que je suis un peu trop occupée pour faire du baby-sitting ! Si vous voulez vous rendre utile, prenez votre paire d'yeux supplémentaire et allez voir comment va Kimberly Starr.

Elle le laissa à l'angle de la rue sans se retourner. Elle avait besoin de toute sa concentration et ne voulait pas se laisser perturber, pas par lui. Sa compagnie devenait lourde à porter. Et que signifiaient ces manigances sur le balcon ? S'approcher d'elle, nez à nez, comme pour une publicité de parfum dans *Vanity Fair* vous promettant l'amour du prince charmant qui n'arrive jamais ! Heureusement qu'elle ne se laissait pas avoir par ce genre de cinéma ! Enfin, elle s'était peut-être montrée un peu dure avec lui…

Lorsqu'elle se retourna pour voir ce qu'il faisait, elle ne le vit pas sur-le-champ. Soudain, elle le repéra à mi-chemin sur Columbus Avenue. Qu'est-ce qu'il fabriquait, accroupi derrière ce pot de fleurs ? On aurait dit qu'il espionnait quelqu'un. Elle sauta par-dessus la barrière du parc à chiens et traversa la pelouse au pas de course. À cet instant, elle aperçut Chemise blanche-jean-bleu qui surgissait de la poubelle, derrière le complexe du musée. Elle piqua un sprint. Devant elle, Rook se redressa.

Le type le vit et s'enfuit, s'engouffrant dans le tunnel de service. Nikki Heat lui cria de ne pas bouger, mais Rook était déjà dans le tunnel.

Elle jura, sauta la barrière de l'autre côté du parc à chiens et se lança à leur poursuite.

2

Les pas de Nikki Heat résonnaient dans le tunnel de ciment. Le passage assez haut et assez large permettait aux camions d'effectuer les livraisons pour les expositions des deux musées du complexe : le Musée d'histoire naturelle et le Rose Center for Earth and Space[1].

La lueur orangée des lampes au sodium offrait une bonne visibilité, mais Nikki ne voyait rien de l'autre côté de la courbe des parois. Elle n'entendait aucun bruit de pas, mais après le virage, elle comprit vite pourquoi.

Le tunnel se terminait en cul-de-sac devant une baie de déchargement. Il n'y avait personne. Elle avala les marches qui menaient au palier donnant sur deux portes, celle du Musée d'histoire naturelle à droite, et celle du planétarium à gauche. Sereinement, elle fit son choix et poussa la porte du Musée d'histoire naturelle. Elle était verrouillée. Au diable l'instinct ! Elle procéda par élimination. La porte du planétarium s'ouvrit. Elle sortit son arme et entra.

---

1. Le Rose Center for Earth and Space est un planétarium. (NDT)

Elle avança en position de tir, dos à une rangée de caisses. À l'école de police, son instructeur lui avait conseillé de recourir à des assises carrées et des triangles isocèles pour avoir un meilleur équilibre, mais dans cet espace confiné, avec beaucoup d'angles, elle prit ses propres initiatives, estimant que sa position lui laissait une grande liberté de mouvement tout en offrant une cible réduite à l'adversaire. Elle vérifia la pièce rapidement, se laissant à peine surprendre par le costume de la mission Apollo pendu à un vieux présentoir.

Dans le coin le plus éloigné, elle trouva un escalier intérieur. Au-dessus d'elle, quelqu'un fit claquer une porte contre un mur. Avant qu'elle ne se referme, Heat grimpa les marches deux à deux.

Elle se retrouva au milieu d'une marée de visiteurs qui parcouraient le premier niveau du musée. Un animateur de camp de vacances, suivi par un troupeau de mioches en t-shirts assortis, passa devant elle. Le détective rengaina son arme avant que les jeunes regards ne soient terrorisés.

Heat traversa le groupe, plissant les yeux dans la blancheur du Hall de l'Univers, à la recherche de Rook ou de l'agresseur de Kimberly Starr.

Près d'une météorite gigantesque, elle remarqua un garde de sécurité qui parlait dans sa radio en indiquant quelque chose : Rook sauta une barrière et courut le long d'une rampe qui faisait le tour de la salle et montait à l'étage supérieur.

À mi-chemin, la tête du suspect passa par-dessus la rampe pour surveiller son poursuivant.

L'homme continua à courir, le journaliste sur ses talons.

La pancarte indiquait qu'ils se trouvaient sur le « chemin cosmique », une spirale à trois cent soixante degrés qui, sous la forme d'un terrain de football américain, marquait l'échelle du temps de l'évolution de l'Univers. Nikki Heat couvrit treize milliards d'années en vitesse de pointe. En haut de la rampe, les quadriceps douloureux, elle marqua une pause pour observer. Aucun signe des deux hommes. Puis elle entendit les cris de la foule.

Heat posa la main sur son holster et se tourna vers la sphère centrale géante où les visiteurs faisaient la queue pour assister au spectacle. Épouvantés, ils s'écartèrent pour laisser place à Rook qui prenait une volée de coups de pied dans les côtes. L'agresseur recula un peu pour prendre de l'élan, et, au moment où son équilibre était le plus précaire, Heat s'approcha de lui par-derrière et lui fit un croche-pied. Le mètre quatre-vingts s'étala de tout son long sur le sol de marbre. Elle lui passa les menottes à une vitesse de rodéo et la foule applaudit.

Rook s'assit.

— Je vais bien, merci d'avoir posé la question.

— C'est gentil de l'avoir ralenti. C'est ça que vous faisiez en Tchétchénie ?

— Le type m'a sauté dessus lorsque j'ai trébuché là-dessus…, dit Rook en indiquant un sac du musée.

Rook ouvrit le sachet et en sortit un presse-papier de verre, en forme de planète.

— Regardez, j'ai trébuché sur Uranus.

Lorsque Heat et Rook entrèrent dans la salle d'interrogatoire, le prisonnier se leva d'un bond, un peu comme un écolier lorsque le principal entre dans la classe. Rook s'installa sur la chaise de côté. Nikki jeta un dossier sur le bureau, sans s'asseoir.

— Restez debout.

Barry Gable obéit.

Heat fit un cercle autour de lui, s'amusant de sa nervosité. Elle se pencha pour examiner son jean, à la recherche d'un accroc qui pourrait correspondre au tissu que l'assassin avait laissé sur la balustrade.

— Comment c'est arrivé ?

Gable se contorsionna pour regarder la déchirure qu'elle indiquait, à l'arrière de la jambe.

— Chais pas. Je me suis peut-être accroché contre la benne. Il est tout neuf, ajouta-t-il comme si cela allait l'éclairer sous un jour plus favorable.

— On va en avoir besoin.

Le type commença à déboutonner son pantalon.

— Pas maintenant. Plus tard. Asseyez-vous !

Il s'exécuta, et elle s'installa face à lui, parfaitement à l'aise, maîtresse de la situation.

— Vous aimeriez peut-être nous expliquer pourquoi vous avez agressé Kimberly Starr ?

— Demandez-le-lui, dit-il, essayant de se donner des airs de dur, mais il se regardait nerveusement dans le miroir, ce qui prouvait qu'il n'avait encore aucune expérience des salles d'interrogatoire.

— C'est à vous que je pose la question, Barry.

— C'est personnel.

— Moi aussi, j'en fais une affaire personnelle. Une agression contre une femme ? Je peux le prendre très mal, croyez-moi.

— Et vous m'avez attaqué, ajouta Rook.

— Vous me poursuiviez. Comment je pouvais savoir ce que vous me vouliez. Ça se voit à des kilomètres que z'êtes pas flic !

Heat apprécia la remarque. Elle leva un sourcil vers Rook qui s'adossa à sa chaise.

— Ce n'est pas votre première agression, à ce que je vois, Barry.

Elle ouvrit ostensiblement le dossier. Il n'y avait pas beaucoup de pages, mais son attitude théâtrale le mettait encore plus mal à l'aise, ce dont elle profita.

— En 2006, altercation avec un videur à Soho ; 2008, vous avez molesté un type qui vous a surpris en train de rayer sa belle Mercedes.

— De simples voies de fait.

— Non, coups et blessures.

— Je m'énerve un peu parfois, dit-il en forçant un petit rire jovial à la John Candy. Je ferais mieux d'éviter les bars.

— Et de faire plus de sport ! dit Rook.

Heat lui lança un regard glacial. Barry, qui s'était de nouveau tourné vers le miroir, ajusta sa chemise sur son ventre. Heat referma le dossier.

— Pourriez-vous nous dire où vous vous trouviez, cet après-midi, vers deux heures ?

— Je veux parler à mon avocat.

— Sans problème. Vous voulez l'attendre ici ou vous préférez la cage aux fauves ?

31

Ce n'était qu'une menace en l'air qui ne fonctionnait qu'avec les novices, et Gable écarquilla les yeux. Malgré son expression glaciale, Heat jubilait de le voir ainsi trembler. Elle adorait ce truc de la cage aux fauves. Ça marchait à tous les coups !

— J'étais au Beacon. À l'hôtel Beacon, sur Broadway.

— Vous savez qu'on va vérifier. Vous avez des témoins ?

— J'étais seul dans ma chambre.

— Dites donc, le fonds d'investissement pour lequel vous travaillez a une bien belle adresse sur la 52e Rue Est. Pourquoi une chambre d'hôtel ?

— Vous voulez que je vous fasse un dessin ?

Il contempla son propre regard suppliant dans le miroir et fit un signe de tête à son reflet.

— J'y vais une ou deux fois par semaine. Pour rencontrer quelqu'un...

— Pour le sexe ? demanda Rook.

— Oui, le sexe en fait partie. Mais c'est plus que ça.

— Et que s'est-il passé aujourd'hui ? demanda Heat.

— Elle n'est pas venue.

— Dommage ! Elle aurait pu vous servir d'alibi. Elle aurait un nom, cette dame ?

— Ouais. Kimberly Starr.

Lorsque Heat et Rook quittèrent la salle d'interrogatoire, ils retrouvèrent Ochoa qui observait derrière le miroir.

— Je ne comprends pas pourquoi vous avez mis fin à l'interrogatoire sans poser la question la plus importante : comment cette mocheté peut-il se payer une poupée comme Kimberly Starr ?

— Vous êtes trop superficiel, dit Heat. Ce n'est pas une question d'esthétique, c'est une question de fric.

— Al le cinglé, dit Raley lorsqu'ils revinrent au bureau. *It's Raining Men*. L'auteur, c'est Al Yankovic.

— Négatif ! répondit Rook. C'est une chanson de… Ah ! je pourrais vous le dire, mais ce serait trop facile. Creusez-vous un peu les méninges. Et pas de triche avec Google, hein ?

Nikki Heat s'assit à son bureau et se tourna vers les cellules.

— Bon, on pourrait marquer un interlude dans *Questions pour un champion* et bosser un peu ? Ochoa, où on en est avec l'alibi de Kimberly Starr ?

— On sait que ça ne colle pas. Enfin, je le sais, et vous aussi, maintenant. Elle était chez Dino-Bites, mais elle est partie tout de suite. Le mioche a mangé sa soupe au chocolat avec la nounou, pas avec sa mère.

— À quelle heure est-elle partie ?

Ochoa feuilleta ses notes.

— Le directeur dit vers une heure, une heure quinze.

— Je vous ai dit que j'avais de mauvaises vibrations, avec Kimberly Starr, pas vrai ?

— Vous la considérez comme suspecte ? demanda Raley.

— Moi, c'est comme ça que je vois le topo, dit Rook qui s'assit sur le bureau de Heat.

Elle vit qu'il grimaçait de douleur à cause des coups qu'il avait encaissés et aurait aimé l'envoyer se faire examiner.

— Notre charmante et jolie épouse et dévouée mère de famille avait un amant en douce. Son pote, Barry, qui ne casse pas une patte à un canard, prétend qu'elle l'a laissé tomber comme un vieux sac à patates lorsque son fonds s'est dégonflé et que l'argent ne coulait plus à flots. D'où l'agression d'aujourd'hui. Qui sait, peut-être que notre défunt milliardaire était aussi avare que le vieux Scrooge ! À moins que Matthew Starr ait découvert leur liaison et qu'elle l'ait tué.

Raley acquiesça d'un signe de tête.

— La liaison, ça la fout mal.

— J'ai une idée de roman, dit Heat. Pourquoi on ne ferait pas un truc qu'on appelle une enquête ? Rassembler des indices, établir les faits. Quelque chose qui tiendrait mieux devant la cour que « c'est comme ça que je vois le topo » !

Rook sortit son carnet de notes Moleskine.

— Excellent, je le retiens pour mon article.

D'un geste théâtral, il fit cliquer son stylo pour l'épingler.

— Alors, par quoi on commence ?

— Raley, allez voir au Beacon. Demandez si Gable est un client régulier. Montrez-leur une photo de Kimberly Starr pendant que vous y êtes. Ochoa, quand est-ce vous pourrez avoir un topo complet sur notre belle et charmante épouse ?

— Demain matin, à la première heure, ça ira ?

— OK, mais j'espérais plutôt demain matin à la première heure.

Rook leva la main.

— Question. Pourquoi ne pas l'arrêter ? J'aimerais bien voir ce qui se passera quand vous l'installerez derrière vos miroirs.

— Je sais que je passe ma journée à vous fournir des distractions, mais je vais attendre d'en savoir un peu plus. De toute façon, elle ne va pas s'envoler.

Le lendemain matin, au milieu des lumières vacillantes, la mairie demanda aux New-Yorkais de limiter l'usage de la climatisation et d'éviter les activités physiques intenses. Pour Nikki Heat, cela signifiait que son entraînement de close-combat avec Don, l'ancien membre des SEALs[1], aurait lieu fenêtres ouvertes.

La formation était un mélange de jiu-jitsu brésilien, de boxe et de judo. La séance commença à cinq heures et demie du matin, avec une série de prises et de roulades, par vingt-sept degrés et quatre-vingt-cinq pour cent d'humidité. Après la seconde pause eau fraîche, Don lui demanda si elle voulait arrêter. Elle répondit par un plaquage et un étranglement avant de le relâcher.

Elle semblait exploiter l'hostilité des conditions atmosphériques, s'en nourrir, plutôt. Au lieu de l'épuiser, la matinée oppressante la libérait du tumulte de sa vie et la transportait dans

---

1. Unité spéciale de la marine américaine : SEa, Air, Land. (NDT)

une paix intérieure. C'était la même chose lorsqu'elle faisait l'amour avec Don, de temps en temps.

Elle décida que, si elle n'avait rien de mieux à faire la semaine suivante, elle proposerait des heures supplémentaires à son entraîneur, qu'elle mettrait à profit. Tout ce qui pourrait accélérer son rythme cardiaque...

Lauren Parry conduisit Nikki Heat et son fidèle journaliste dans la salle d'autopsie où se trouvait le corps de Matthew Starr.

— Comme d'hab, on n'a pas reçu les résultats de la toxico, mais, à moins d'une grande surprise du labo, je pense que la mort est due à un fort traumatisme, conséquence d'une chute d'une hauteur peu raisonnable.

— Et quelle boîte tu ouvres ? Suicide ou homicide ?

— C'est pour cela que je t'ai fait descendre. J'ai trouvé des éléments qui plaident en faveur de l'homicide.

La légiste passa de l'autre côté de la table et souleva le drap.

— On a une série de contusions de la taille d'un poing sur le torse. Ce qui indique qu'il a reçu des coups peu de temps avant sa mort. Regarde bien cet hématome.

Heat et Rook se penchèrent en même temps et, pour éviter une autre scène de publicité pour un parfum, Nikki recula. Grand prince, il lui fit signe de regarder la première.

— Oui, un bleu très marqué. On devine les articulations. Et qu'est-ce que c'est, cette forme hexagonale ? Une bague ?

Elle recula pour laisser la place à Rook.

— Lauren, j'aimerais avoir une photo de l'hématome.

Son amie lui tendait déjà un tirage.

— Je la mettrai sur le serveur pour que tu puisses la reproduire. Et vous, qu'est-ce que vous avez fichu ? Vous vous êtes battu dans un bar ? demanda-t-elle à Rook.

— Moi ? Oh ! juste un peu de devoir de citoyen, hier. Sympa, non ?

— De la manière dont vous vous tenez, je parierais pour une déchirure intercostale, juste là...

Elle toucha les côtes sans exercer de pression.

— Ça vous fait mal quand vous riez ?

— Dites, encore un peu de « devoir de citoyen », c'est marrant ! suggéra Nikki.

Le détective Heat afficha les photos de l'autopsie sur le tableau blanc pour préparer la réunion avec son équipe.

Elle dessina une ligne avec un marqueur effaçable et nota les noms des empreintes relevées sur les portes du balcon, au Guilford : Matthew Starr, Kimberly Starr, Matty Starr et Agda, la nounou. Raley arriva le premier avec un sac de beignets et confirma que Barry Gable fréquentait le Beacon. La réception et le personnel avaient reconnu Kimberly Starr, son invitée régulière.

— Oh ! et les résultats du labo sont arrivés, pour le jean de Barry. Ça ne correspond pas aux fibres retrouvées sur le balcon.

— Ça ne m'étonne pas. Mais c'était rigolo de le voir se précipiter pour enlever son jean !

— Rigolo pour vous ! dit Rook.

Elle sourit.

— Ouais, un des gros avantages du métier : regarder des gros types en sueur baisser leur froc !

Ochoa se rua soudain dans la pièce.

— Je suis en retard, mais ça valait la peine ! s'écria-t-il avant même de s'installer.

Il sortit des papiers de son sac.

— Je viens de finir la vérification du passé de Kimberly Starr. Je devrais plutôt dire Laldomina Batastini, du Queens, New York !

L'équipe s'approcha de lui pour consulter les documents.

— Notre jolie maman bien élevée est née et a grandi à Astoria, au-dessus d'un salon de manucure-pédicure sur Steinway. C'est l'exact opposé des écoles du Connecticut et des grandes universités ! Voyons voir : elle a laissé tomber le lycée… et elle est fichée…

Il tendit la feuille à Heat.

— Aucun crime, dit-elle. Quelques gardes à vue pour des chapardages dans des magasins et ensuite pour détention de marijuana. Une conduite en état d'ivresse, et… oui, voilà, deux arrestations à dix-neuf ans pour conduite indécente avec des clients. La jeune Laldomina était lap-dancer dans des night-clubs près de l'aéroport. Elle montait sur scène sous le nom de Samantha.

— J'ai toujours pensé que *Sex and the City* donnait le mauvais exemple…

Ochoa reprit la feuille des mains de Heat.

— J'ai parlé à un collègue des mœurs. Kimberly, ou Samantha, comme vous voulez, a fini avec un type, un client régulier, qu'elle a épousé. Elle avait vingt ans. Lui, soixante-six, bourré de fric. Son papa gâteau était une vieille fortune de Greenwich Village et voulait parader au yacht-club avec sa jolie poupée, alors...

— Laissez-moi deviner! Il lui a dégotté un Henry Higgins! interrompit Rook, s'attirant un regard perplexe des Gars.

— Une allusion à *My Fair Lady*, dit Heat.

Avec les dessins animés, les comédies musicales de Broadway lui offraient, lorsqu'elle parvenait à obtenir un billet, une excellente échappatoire à son travail dans les autres rues de New York.

— Il veut dire que son nouveau mari a offert à sa jeune danseuse un professeur plein de charme pour lui apprendre les bonnes manières... La classe de la classe...

— Et une Starr est née...

— Le mari est mort quand elle avait vingt et un ans. Je sais à quoi vous pensez, alors, j'ai vérifié deux fois plutôt qu'une. Causes naturelles. Une crise cardiaque. Il lui a légué un million de dollars.

— Et lui a donné le goût du luxe. Bon travail, Ochoa.

Ochoa lança un beignet en l'air en signe de victoire, et Heat poursuivit.

— Avec Raley, continuez à la surveiller... Pas de trop près. Je ne veux pas abattre mes cartes avant de savoir ce que ça donne sur les autres fronts.

Depuis bien des années, Heat avait appris que le travail d'enquête était essentiellement fastidieux : écoutes téléphoniques, analyse de fichiers, recherches dans les bases de données. Les appels qu'elle avait passés un peu plus tôt à l'avocat de Starr et aux policiers qui travaillaient sur les plaintes pour atteinte à la personne s'étaient révélés payants, car elle avait découvert que le promoteur avait fait l'objet de menaces de mort.

Elle attrapa son sac et sortit, se disant qu'il était temps de montrer à sa célébrité d'écrivain à quoi ressemblait le véritable travail de terrain, mais il était introuvable.

Elle avait presque oublié Rook lorsqu'elle le vit dans le hall, visiblement très occupé. Une femme d'une beauté mortelle lui arrangeait le col de sa chemise.

— Oh ! Jamie ! s'écria-t-elle avant d'enlever ses lunettes de soleil de designer de ses cheveux pour secouer sa longue chevelure noir corbeau.

Elle se pencha vers lui assez près pour lui murmurer à l'oreille, pressant ses bonnets D contre lui. Il ne s'écarta pas. Que fabriquait-il à poser pour des publicités de parfum avec toutes les filles de la ville ? Elle arrêta sa réflexion. Qu'est-ce que cela pouvait bien lui faire ? Cela l'ennuyait de s'y intéresser. Elle s'éloigna donc, furieuse de ne pouvoir s'empêcher de leur jeter un dernier regard.

— Alors, quel est le but de cet exercice ? demanda Rook en voiture.

— C'est ce que nous, les professionnels de la police, nous appelons une enquête.

Heat prit le dossier glissé dans le vide-poche de sa portière et le lui tendit.

— Quelqu'un voulait la mort de Matthew Starr. Plusieurs personnes lui ont adressé des menaces, comme vous le verrez. D'autres le trouvaient simplement trop encombrant.

— Alors, vous voulez les éliminer en tant que suspects ?

— Je veux leur poser des questions et voir où mèneront leurs réponses. Parfois, on repère un suspect, parfois on obtient des informations qui vous emmènent ailleurs. C'était encore un membre de votre fan-club ?

Rook poussa un petit rire.

— Bree ? Oh non !

Ils firent quelques centaines de mètres en silence.

— Parce qu'elle avait l'air d'une vraie groupie.

— Bree Flax est une admiratrice, d'accord... C'est une journaliste free-lance pour la presse people, toujours à l'affût de ce qui pourrait faire un best-seller rapide. Vous voyez, une sortie avant que l'encre des gros titres des quotidiens ait le temps de sécher. Son cinéma, c'était pour m'extorquer des informations confidentielles sur Matthew Starr.

— Elle semblait... insistante.

— Au fait, c'est Flax, F, L, A, X, au cas où vous voudriez vérifier.

— Et qu'est-ce que c'est censé signifier ?

Rook ne répondit pas. Il lui adressa un sourire qui la fit rougir. Elle ne se retourna pas et, de peur qu'il ne décrypte l'expression de son visage, feignit de se concentrer sur la circulation par la vitre latérale.

Au dernier étage du bâtiment Marlowe, il n'était plus question de canicule. Dans la fraîcheur du bureau d'angle, placide, les mains calmement posées sur son sous-main de cuir, Omar Lamb écoutait l'enregistrement de ses menaces contre Matthew Starr, tandis que le magnétophone diffusait une description aussi rageuse qu'explicite et très visuelle de ce qu'il infligerait à Starr, avec force détails sur les instruments, les outils et les armes. Lorsque la bande fut terminée, il arrêta l'appareil, sans dire mot. Nikki Heat observait le magnat de l'immobilier au corps sculpté en salle de musculation, aux joues creuses et au regard assassin. Le surplus d'air réfrigéré qui soufflait des ventilations invisibles comblait le silence. Pour la première fois depuis quatre jours, elle avait froid. Elle se serait crue à la morgue.

— Il m'a enregistré en train de lui dire ça ?

— L'avocat de monsieur Starr nous a confié la bande lorsqu'il a déposé plainte.

— Voyons, détective, les gens menacent de tuer des gens à longueur de temps.

— Et parfois, ils le font.

Perché sur le rebord de la fenêtre, Rook observait et partageait son attention entre Omar Lamb et un patineur solitaire qui bravait la chaleur sur la piste de rollers de Central Park, trente-six étages en contrebas. Pour l'instant, Heat se réjouissait que, grâce à Dieu, il se contente de suivre ses instructions et s'abstienne d'intervenir.

42

— Matthew Starr était une sommité dans l'immobilier, et il nous manquera beaucoup. Je le respectais et je regrette profondément ce coup de téléphone. Sa mort est une grosse perte, pour nous tous.

Heat avait compris au premier coup d'œil que ce type allait lui donner du fil à retordre. Il n'avait même pas regardé son badge quand elle le lui avait présenté, n'avait pas demandé son avocat.

Il disait ne rien avoir à cacher, et, dans le cas contraire, il était trop intelligent pour se trahir. Il n'allait pas se laisser impressionner par la cage aux fauves. Alors, elle se contentait de le titiller en cherchant une ouverture.

— Pourquoi une telle colère ? demanda-t-elle. Qu'est-ce qui vous ennuyait tant chez votre rival ?

— Mon rival ? Matthew Starr n'avait pas les qualités requises pour être mon rival. Il lui aurait fallu une échelle pour m'arriver à la cheville.

Et voilà, elle avait trouvé le point sensible ! Son ego démesuré. Heat s'engouffra dans la brèche. Elle se moqua de lui.

— Foutaises ! dit-elle en riant.

— Foutaises ? Vous me prenez pour un menteur !

Lamb sauta sur ses pieds et quitta la forteresse de son bureau pour l'affronter. Cela n'avait rien à voir avec une publicité de parfum !

Elle ne broncha pas.

— Starr avait plus de titres de propriété que n'importe qui dans cette ville. Bien plus que vous, en tout cas.

43

— Des adresses de merde! Des contraintes écologiques, des droits limités à l'air... Qu'est-ce que cela signifie, quand tout est pourri?

— Pour moi, ça ressemble aux critiques d'un concurrent. Ça devait faire mal de les lâcher, de mettre les billets sur la table et de se faire souffler l'affaire.

— Bon, vous voulez mesurer quelque chose?

C'était un bon point. Elle adorait faire craquer les durs et les amener à parler.

— Comptez donc les propriétés que Matthew Starr m'a fait passer sous le nez!

Il enfonça un doigt manucuré dans son épaule, pour marquer chaque item de sa liste.

— Il a trafiqué des permis, corrompu des inspecteurs, acheté au rabais, vendu à des prix d'usurier, pas livré les commandes...

— Eh bien! s'exclama Heat. C'est presque assez pour vous donner envie de le tuer.

Ce fut le promoteur qui se mit à rire.

— Bien essayé! Écoutez-moi. Ouais, c'est vrai, je l'ai menacé il y a longtemps. C'est ça le mot clé : longtemps! Cela fait des années. Regardez ses chiffres aujourd'hui! Même sans la récession, Starr était fini. Je n'avais pas besoin de le tuer. C'était un mort en sursis.

— Ce sont les paroles d'un rival.

— Vous ne me croyez pas? Allez donc voir sur place.

— Pour voir quoi?

— Parce que vous voudriez que je fasse votre boulot en plus?

Une fois qu'ils furent arrivés à la porte, sur le point de partir, Lamb les rappela.

— Encore une chose. J'ai lu dans le *Post* qu'il était tombé du sixième ?

— Oui, du sixième, dit Rook.

C'était ses premiers mots, et c'était une attaque personnelle.

— Il a souffert ?

— Non, il est mort sur le coup.

Lamb sourit, montrant une rangée de dents laminées.

— Il doit brûler en enfer, à présent.

Leur Crown Victoria dorée descendait West Side Highway avec la climatisation à fond ; l'humidité qui se condensait formait des volutes de brouillard autour du tableau de bord et des ventilations.

— Alors, qu'est-ce que vous en concluez ? demanda Rook. Vous croyez qu'Omar l'a liquidé ?

— Possible. Il est sur ma liste, mais ce n'était pas ma priorité.

— Heureux de l'entendre. Pas de précipitation ! Il y a encore trois millions de personnes à interroger et à saluer à New York. Ce n'est pas que vos interrogatoires soient dépourvus de charme...

— Dieu, quelle impatience ! Vous avez dit à Bono que vous en aviez assez des camps de réfugiés en Éthiopie ? Vous avez poussé les chefs de guerre tchétchènes à accélérer le pas ? Allez, Ivan, on y va, maintenant...

— J'aimerais passer à autre chose.

Elle se félicitait de ce revirement. Du coup, il ne braquait plus son radar personnel sur elle, si bien qu'elle se montra conciliante.

— Vous voulez vraiment tirer quelque chose de cette mission d'observation ? Alors, commencez par écouter. C'est une enquête de police. Les assassins ne se trimballent pas avec des couteaux ensanglantés, et les équipes de cambrioleurs ne se déguisent pas tous en personnages de dessins animés. On parle aux gens. On écoute, on cherche à savoir s'ils cachent quelque chose. Et parfois, si on fait bien attention, on commence à avoir des pressentiments, on récolte des informations qui nous avaient échappé avant.

— Comme quoi ?

— Comme ça.

Lorsqu'ils s'arrêtèrent, le terrain à bâtir de Starr sur la 11ᵉ Avenue, Lower West Side, était désert. Midi, et pas le moindre signe de travail en cours, pas l'ombre d'un ouvrier. C'était un site fantôme. Elle se gara un peu à l'écart de la rue, sur une bande terreuse entre le trottoir et la palissade de contreplaqué.

— Vous entendez ce que j'entends ? demanda Nikki.

— Non, rien.

— C'est exactement ça.

— Non, m'dame, l'endroit est fermé. Vous devez partir…

Un type en casque de chantier, torse nu, remonta le chemin pour venir à leur rencontre alors qu'ils se faufilaient à travers le portail fermé par une chaîne.

Avec ses airs fanfarons et ce buste, Heat voyait déjà les bonnes mères de famille du New Jersey lui glisser des dollars dans son maillot de bain.

— Pareil pour toi, mec. *Adios*.

Heat regarda monsieur Muscles-Torse-Nu et lui fit signe d'aller se faire foutre.

— Bravo, dit Rook.

Nikki Heat se dressa devant lui.

— Je veux parler au contremaître.

— J'ai peur que cela ne soit pas possible.

Elle mit la main autour de son oreille.

— Est-ce que je vous ai demandé votre autorisation. Non, eh bien, je n'ai pas besoin de votre permission.

— Oh mon Dieu! Jamie…, dit une voix de l'autre côté de la cour.

Un maigrichon qui portait des lunettes de soleil et un jogging de satin bleu se tenait devant la porte ouverte de la caravane du chantier.

— S'lut, Gros Tommy!

L'homme leur fit signe d'approcher.

— Venez, dépêchez-vous, je n'ai pas envie de climatiser tout New York!

À l'intérieur du double mobile home, Heat s'assit, tout comme Rook, mais refusa le fauteuil qu'on lui offrait. Même s'il n'y avait aucun mandat contre Tomasso Nicolosi, dit Gros Tommy, il protégeait une des grandes familles de la mafia new-yorkaise, et la prudence lui dictait de ne pas se laisser coincer contre la table et la paroi d'aggloméré. Elle préféra donc un siège qui ne la plaçait pas dos à la porte. Rien qu'à son sourire, elle devina que Gros Tommy comprenait parfaitement ce qu'elle faisait.

— Qu'est-ce qui t'est arrivé, Gros Tommy? T'es plus gros!

— C'est ma femme : elle m'a mis au régime Weight Watchers. Dis donc, ça fait si longtemps qu'on s'est pas vus ?

Il enleva ses lunettes noires et tourna ses yeux cernés vers Heat.

— Jamie écrivait un article, il y a quelques années, sur Staten Island. C'est comme ça qu'on s'est connus. Il avait l'air réglo, pour un journaliste, et, vous savez quoi, il m'a rendu un petit service.

Heat esquissa un sourire et il se mit à rire.

— Ne vous inquiétez pas, détective, tout était légal.

— J'ai simplement liquidé quelques types.

— Blagueur, va ! Vous avez remarqué qu'il était blagueur ?

— Jamie ? Oh ! je me laisse avoir à chaque coup !

— Bon, dit Gros Tommy. Puisque ce n'est pas une visite de politesse, allez-y. Nous deux, on rattrapera ça plus tard.

— C'est un chantier de Matthew Starr, c'est bien ça ?

— Jusqu'à hier après-midi, oui.

Le gros malin avait une expression sans cesse à mi-chemin entre la menace et la rigolade. Heat pouvait interpréter sa réponse comme une plaisanterie ou une réalité.

— Cela vous ennuie, si je vous demande de préciser votre rôle ?

Il s'adossa à son siège, parfaitement dans son élément.

— Conseiller en travaux.

— Je ne vois aucun travail en cours.

— Exact. On a fermé la semaine dernière. Starr nous a joué un tour. Vous voyez… Refus de règlement selon nos… arrangements.

— De quels arrangements vous parlez, monsieur Nicolosi ?

Elle savait très bien de quoi il s'agissait. Cela recouvrait beaucoup de choses, dont la taxe officieuse sur la construction.

Le taux officiel était de deux pour cent… qui n'entrait pas dans les poches de l'État !

Il se tourna vers Rook.

— Elle me plaît, ta copine.

— Répétez ça une seule fois, et je vous explose les genoux.

Il la regarda, décida qu'elle en était bien capable, et sourit.

— C'est pas ma petite amie, affirma Rook avec un hochement de tête.

— Ah… J'aurais cru. De toute façon, je dois un service à Jamie, alors, je vais répondre à votre question. Quelle sorte d'arrangement ? Disons les frais d'expédition. Oui, ça peut le faire.

— Pourquoi Starr a-t-il arrêté de payer, Tommy ?

C'était Rook qui avait posé la question, mais elle était contente de cette participation, car il abordait l'affaire sous un angle qu'elle n'aurait pu adopter. Disons, le bon flic, pas de flic.

— Hé ! Le type était à la ramasse ! C'est ce qu'il a prétendu, et on a vérifié. Il avait tellement la tête sous l'eau qu'il lui poussait des branchies !

Gros Tommy rit à sa blague et ajouta :

49

— On s'en fiche.

— Des types se font tuer pour ça ? demanda Rook.

— Voyons ! On a juste bouclé le chantier et on a laissé la nature reprendre ses droits, dit Tommy en haussant les épaules. Ouais, c'est vrai, y en a qui se font tuer pour ça, mais pas cette fois. Pas si vite, de toute façon. (Il croisa les bras et sourit.) C'est vrai ? C'est pas ta copine ?

Chez Chipotle, devant des burritos, Heat demanda à Rook s'il avait toujours l'impression de patiner dans le vide. Avant de répondre, Rook aspira ses glaçons avec sa paille pour faire de la place aux bulles de Coca Light.

— Euh… Je ne crois pas qu'on ait rencontré l'assassin de Matthew Starr aujourd'hui, si c'est à ça que vous pensez.

Gros Tommy lui apparaissait vaguement comme un suspect possible, mais elle le garda pour elle. Néanmoins, il sembla lire ses pensées.

— Et si Gros Tommy me dit que ce n'est pas lui, il ne m'en faut pas plus.

— Vous êtes une force d'investigation à vous tout seul.

— Je le connais.

— Vous vous souvenez de ce que je vous ai dit ? Posez des questions et voyez où mènent les réponses. Pour moi, elles conduisent à un Matthew Starr qui ne correspond pas à son image. Qu'est-ce qu'on a ? dit-elle en dessinant un cadre avec ses mains. Un type célèbre, respectable et surtout très riche. Alors, maintenant,

50

posez-vous une question. Avec tout cet argent, il est incapable de payer la taxe du racket? Une bagatelle pour que le ciment continue à couler et les échafaudages, à monter?

Elle fit une boule avec l'emballage de papier et se leva.

— Allons-y!

— Où?

— Parler au comptable de Starr. Voyez ça comme ça : c'est une nouvelle occasion de me voir au mieux de mon charme.

Les oreilles de Heat bourdonnèrent dans l'ascenseur rapide pour le dernier étage de Pointe, le quartier général de Matthew Starr, sur la 57ᵉ Rue Ouest, près de Carnegie Hall. Lorsqu'ils entrèrent dans le vestibule luxueux, elle murmura à Rook :

— Vous avez remarqué que nous sommes un étage au-dessus des bureaux d'Omar Lamb?

— Je crois qu'on peut le dire sans danger : jusqu'à la fin, Matthew Starr aura toujours été sensible à la hauteur!

Ils s'annoncèrent à la réception. En attendant, Nikki Heat parcourut la galerie de photos représentant Matthew Starr avec des présidents, des princes et des célébrités.

Sur le mur opposé, un écran plat diffusait en silence une vidéo sur les nouveaux investissements de Starr Development.

Dans une vitrine, sous une maquette de taille héroïque des bureaux de Starr et des répliques étincelantes du bâtiment, d'un Mirage G-4 et d'un Sikorski 76, on voyait une longue rangée de vases de cristal Waterford remplis de terre, surmontés par une photographie de Matthew Starr qui donnait le premier coup de pioche dans la terre dont le vase était rempli.

Les portes d'acajou s'ouvrirent et un homme en manches de chemise et cravate sortit et leur tendit la main.

— Lieutenant Heat? Noah Paxton, je suis… Euh…, j'étais le conseiller financier de Matthew. (Il lui adressa un sourire triste.) Nous sommes encore tous sous le choc.

— Je vous présente toutes mes condoléances. Voici Jameson Rook.

— L'écrivain?

— Oui.

— Ah bon…, dit Paxton, acceptant sa présence un peu comme s'il voyait un phoque sur la pelouse, mais sans comprendre pourquoi. Allons dans mon bureau, vous voulez bien?

Il ouvrit les portes d'acajou et ils pénétrèrent dans l'antre de Matthew Starr.

Heat et Rook s'arrêtèrent brusquement. L'étage était vide. Les bureaux en open-space, à droite et à gauche, étaient dépouillés : ni personnel ni meubles. Les câbles réseaux et téléphoniques gisaient sur le sol, débranchés. Les plantes séchaient dans leur pot. Le mur le plus proche portait encore les traces d'un panneau d'affichage décroché. Nikki Heat essayait de réconcilier le luxe du hall de réception qu'elle venait de quitter et ce néant de l'autre côté du seuil.

— Excusez-moi, dit-elle à Harry Paxton. Matthew Starr n'est décédé qu'hier. Vous avez déjà commencé le déménagement?

— Ah! ça, non. Non, pas du tout. On a tout débarrassé l'an dernier.

Lorsqu'il ferma la porte derrière eux, l'étage sonnait si creux que le bruit du pêne résonna dans le vide.

3

Heat et Rook restaient deux pas en arrière, tandis que Noah Paxton les conduisait entre les bureaux et les espaces vides de Starr Real Estate Development. Offrant un contraste absolu avec l'opulence du hall d'accueil, le trente-sixième étage de la Pointe donnait l'impression de creux et de désespoir d'un grand hôtel fermé, lorsque les créanciers ont embarqué tout ce qui n'était pas cloué au sol. L'espace se teintait de l'ambiance surréelle d'une catastrophe biologique. Il n'était pas seulement vide, il revêtait un air d'apocalypse.

Paxton leur fit signe de franchir une porte et ils entrèrent dans son bureau, le seul encore en activité. Il avait beau être le conseiller financier d'une grande entreprise, son mobilier était composé d'un ramassis d'objets provenant d'Office Depot, Staples ou d'un dépôt-vente quelconque.

C'était propre et fonctionnel, mais loin du standing d'un directeur financier de Manhattan, même pour une société sans envergure internationale. Rien à voir avec l'image de luxe et d'arrogance de la griffe Starr !

Nikki Heat entendit Rook ricaner et suivit le regard du journaliste qui observait l'affiche d'un petit chat suspendu à une branche. Sous ses pattes, la légende disait : *Accroche-toi, mon grand !* Paxton ne leur offrit pas le café, qui chauffait depuis au moins quatre heures. Ils s'assirent simplement sur des chaises disparates. Paxton se glissa dans le creux de son bureau en fer à cheval.

— Nous aimerions que vous nous aidiez à comprendre les finances de Matthew Starr, dit Nikki d'un ton léger et neutre.

Noah Paxton était sur les dents. Elle avait l'habitude. Les gens avaient aussi peur de son insigne que de la blouse blanche du médecin. Néanmoins, ce type évitait son regard, drapeau rouge caractéristique. Il semblait distrait, comme s'il redoutait d'avoir oublié de débrancher le fer à repasser chez lui et avait envie de vérifier sur-le-champ.

Y aller en douceur, décida-t-elle. Voir ce qui en sortirait lorsqu'il se détendrait un peu.

Il regarda de nouveau sa carte de visite.

— Bien entendu, détective Heat, dit-il, essayant à nouveau de soutenir son regard, mais n'y parvenant qu'à demi. (Il s'attacha à regarder ostensiblement la carte de visite.) Un détail, malgré tout…

— Je vous en prie, dit-elle, se méfiant néanmoins de l'esquive ou l'appel au standard pour demander un avocat.

— Ne le prenez pas mal, monsieur Rook.

— Jamie, je vous en prie…

— Je dois répondre aux questions de la police, c'est une chose. Mais si vous avez l'intention de me citer dans *Vanity Fair* ou *First Press*...

— Vous n'avez rien à craindre.

— Je le dois à la mémoire de Matthew Starr et à sa famille. Je ne veux pas voir cette affaire étalée dans les pages des magazines.

— Je ne suis là que pour des recherches; j'écris un article sur le lieutenant Heat et son équipe. Tout ce que vous direz sur Matthew Starr restera confidentiel. Je l'ai fait pour Mick Jagger, je peux le faire pour vous.

Heat n'en croyait pas ses oreilles. L'ego démesuré d'un journaliste en plein travail! Non seulement il se vantait de ses relations, mais aussi des faveurs qu'il leur accordait. Cela n'allait pas mettre Paxton en confiance !

— Le moment est vraiment mal choisi..., dit-il, essayant de la tester à présent qu'il avait obtenu une promesse de Rook.

Il jeta un coup d'œil sur son écran plat avant de se tourner vers elle.

— Il est mort depuis moins de vingt-quatre heures. Et je suis au milieu de... Bon, vous pensez bien, je me demande à quoi ressemblera demain...

— Je n'ai que quelques questions à poser.

— Le problème... C'est que je n'ai pas tous les dossiers... (Il claqua des doigts.) ... là, sous la main. Voilà ce qu'on va faire : dites-moi ce dont vous avez besoin et je le préparerai pour la prochaine fois.

Bon, elle avait essayé d'y aller mollo. Il rechignait toujours et maintenant il s'était mis en tête de lui fixer un rendez-vous à sa convenance. Il était grand temps de changer de tactique !

— Noah. Je peux vous appeler Noah ? Parce que j'aimerais autant qu'on reste amis pendant que je vous explique ce qui va se passer. D'accord ? C'est une enquête pour meurtre. Je vais vous poser quelques questions immédiatement et j'aimerais que vous y répondiez. Peu m'importe que vous ayez ou non tous les chiffres... (Elle claqua des doigts.)... là, sous la main. Je vais demander à nos spécialistes de la brigade financière d'éplucher votre comptabilité. Alors, c'est à vous de décider du ton que prendra la conversation. Nous nous sommes bien compris, Noah ?

Après une pause très brève, Paxton lâcha le morceau en gros caractères.

— Matthew Starr était dans la dèche.

Une affirmation calme et mesurée. Qu'est-ce que Nikki Heat perçut derrière ces mots ? De la naïveté, sans aucun doute. Il l'avait regardée droit dans les yeux en prononçant cette dernière phrase. Il n'exprimait aucune aversion à présent, juste de la lucidité. Quelque chose d'autre aussi, comme s'il s'ouvrait à elle, manifestait un autre sentiment, et, tandis que Nikki essayait de trouver le mot adéquat pour définir cette attitude, ce fut Paxton qui le prononça, comme s'il lisait dans ses pensées.

— Je suis soulagé. (C'était ça, oui, le soulagement.) Enfin, je peux parler librement.

Pendant l'heure qui suivit, Noah Paxton fit plus que parler. Il raconta toute l'histoire du personnage : l'univers financier piloté par le flamboyant Matthew Starr avait atteint des sommets ; il engrangeait du capital, acquérait des propriétés prestigieuses, construisait des tours symboliques qui imprimaient une marque indélébile sur l'horizon new-yorkais ; puis l'implosion dans les mains du même Matthew Starr. C'était l'histoire d'une ascension vertigineuse trop vite aspirée dans une spirale descendante.

Paxton, qui selon le registre du personnel était âgé de trente-cinq ans, était entré, avec son tout nouveau diplôme de MBA en poche, dans la société lors de son apogée. Sa maîtrise du financement des constructions écologiques des nouveaux gratte-ciel de Times Square avait fait de lui l'employé en qui Matthew Starr avait le plus confiance.

Comme il se montrait aimable à présent, Nikki regarda Paxton et le trouva en effet digne de confiance. C'était un homme aux épaules solides, compétent, capable de vous faire traverser n'importe quel orage.

Elle n'avait pas beaucoup d'expérience avec des hommes tels que lui. Elle en avait déjà rencontré, bien sûr, sur la ligne de métro qui l'emmenait à Darien à la fin de la journée. La Cravate desserrée, buvant une bière achetée au bar avec un collègue ou un voisin. Ou encore, avec leur femme en tenue Anne Klein, dans des petits restos, avant un spectacle à Broadway. Elle aurait même pu se trouver à leur place, éclairée par la lueur des bougies, devant un cocktail Absolut Cosmo, en train de parler de la réunion des professeurs ou du prochain week-end à Martha's Vineyard, si les choses avaient tourné différemment. Elle se demanda ce que serait sa vie avec un homme fiable comme Noah.

— La confiance que Matthew avait en moi était à double tranchant, parce que je connaissais tous ses secrets.

Le plus horrible de tous, d'après Noah, c'était que ce patron qui, tel Midas, transformait tout ce qu'il touchait en or conduisait sa société à la ruine et que rien ne semblait pouvoir l'arrêter.

— Montrez-moi ça, demanda Nikki.

— Comment ? Là ? Tout de suite ?

— Oui, là ou... (Elle connaissait la chanson et laissa sa petite pause faire son effet.)... dans un cadre plus officiel. C'est à vous de voir.

Il ouvrit une série de tableurs sur son Mac et les invita à pénétrer à l'intérieur du « U ». Les chiffres étaient impressionnants.

Ensuite, il leur montra un graphique représentant la progression du promoteur immobilier qui semblait imprimer ses propres billets, jusqu'à ce qu'il trébuche en haut d'une falaise d'encre rouge, bien avant la fonte des emprunts, et ne précipite une débâcle inévitable.

— Donc, ce n'est pas une question de difficultés passagères en période de crise ? demanda-t-elle en indiquant ce qui, pour elle, ressemblait à un escalier donnant sur un palier rouge.

— Non. Et merci de ne pas avoir mis les doigts sur l'écran. Je ne comprendrai jamais pourquoi les gens ont besoin de mettre les doigts sur l'écran lorsqu'ils montrent quelque chose.

— Je sais. Ce sont les mêmes qui ont besoin de mimer un téléphone avec les mains quand ils vous demandent de les appeler.

Ils se mirent à rire et elle sentit une bouffée de son parfum citronné venir jusqu'à elle. Un parfum L'Occitane, supposa-t-elle.

— Comment a-t-il pu rester dans les affaires ? demanda Rook lorsqu'ils revinrent à leur place.

— C'était mon boulot, et ce n'était pas facile. Mais je vous jure que tout restait légal, dit-il avec un regard appuyé vers Nikki.

— Expliquez-moi comment.

— C'est simple. J'ai commencé à liquider des actifs. Mais la crise de l'immobilier a bouffé la baraque. C'est là qu'il a fallu jongler avec les emprunts. Et on a eu un mal fou à maintenir les équipes de travail. Vous ne le savez peut-être pas encore, mais nos terrains à bâtir sont à l'arrêt.

Nikki hocha la tête et se tourna vers le copain de Gros Tommy.

— On n'a pas pu régler nos dettes, alors, on ne pouvait plus continuer à construire. Et il y a une règle simple : pas de construction, pas de loyer.

— Cela ressemble à un cauchemar, dit Heat.

— Pour faire un cauchemar, encore faudrait-il dormir !

Elle remarqua la couverture pliée et l'oreiller sur le divan du bureau.

— Disons que c'est un enfer sur terre. Et je ne parle que de la société, pas de ses problèmes financiers personnels.

— La plupart des PDG ont un pare-feu qui protège leurs biens privés, non ?

Bonne question ! Il se comporte enfin comme un journaliste, pensa Nikki qui sauta sur l'occasion.

— J'avais toujours cru que l'idée, c'était de bien choisir sa structure, de manière à ce qu'une faillite n'affecte pas les biens personnels, et vice-versa.

— Et c'est ainsi que j'ai procédé lorsque je me suis occupé des finances familiales aussi. Mais, voyez-vous, on jetait l'argent par les fenêtres de chaque côté du pare-feu. (Une expression grave assombrit son visage ; soudain, il paraissait vingt ans de plus.) À présent, vous devez absolument me promettre de garder le secret. Rien ne doit filtrer hors de cette pièce.

— Cela ne me pose pas de problème, dit Rook.

— Moi, je ne peux pas le jurer. Je vous l'ai dit, il s'agit d'une enquête criminelle.

— Je vois.

Néanmoins, il fit le grand saut.

— Matthew Starr se livrait à certaines activités qui ont entamé sa fortune personnelle. Il a fait beaucoup de mal... Pour commencer, c'était un joueur compulsif. Et par là, je veux dire qu'il perdait gros. Il ne se contentait pas de jeter le fric par les fenêtres à Atlantic City ou Mohegan Sun ; il pariait sur les chevaux et les matchs de foot avec les bookmakers du coin. Il était sérieusement endetté auprès de certains de ces personnages.

Heat nota un seul mot sur son carnet : *Bookmakers*.

— Et puis, il y avait les filles. Matthew avait certains penchants... qu'il est inutile d'explorer, à moins que vous n'insistiez... Euh..., il les satisfaisait avec des call-girls de très grande classe.

Rook ne put se retenir :

— Bon, ça c'est une association de termes qui m'a toujours choqué : grande classe et call-girl. C'est un statut professionnel ou une position sexuelle ?

Il récolta des regards silencieux et murmura :

— Désolé…

— Je peux vous détailler le montant des dépenses, mais il suffit de dire que cela le ruinait. L'année dernière, on a été obligé de vendre la propriété des Hamptons.

— Stormfall.

Nikki repensa à Kimberly qui semblait bouleversée, car le drame ne se serait jamais produit s'ils avaient été dans les Hamptons. À présent, elle comprenait toute la signification de ces paroles, et toute leur ironie.

— Oui, Stormfall. Je n'ai pas besoin de vous faire un dessin pour vous dire qu'on a pris un sacré bouillon dans le marché ambiant. On l'a vendue à une célébrité de la téléréalité et on y a laissé des millions. Le produit de la vente a à peine comblé une dent creuse dans les dettes de Matthew. La situation était devenue si inquiétante qu'il m'a demandé de cesser les versements de son assurance vie, à laquelle il a renoncé, malgré mes conseils.

Heat nota deux autres mots : *Pas d'assurance*.

— Madame Starr était-elle au courant ?

À la périphérie de son champ visuel, elle vit Rook se pencher en avant.

— Oui. J'ai fait de mon mieux pour épargner les détails sordides à Kimberly, mais elle est au courant pour l'assurance. J'étais présent lorsque Matthew le lui a annoncé.

— Comment a-t-elle réagi ?

— Elle a dit… Vous pouvez comprendre qu'elle était bouleversée.

— Qu'a-t-elle dit, Noah ? Quels ont été ses mots exacts ?

— Elle a dit : « Je te hais. Même mort, t'es bon à rien. »

Sur le trajet du retour, Rook s'attaqua directement à la veuve éplorée.

— Voyons, lieutenant Heat. « Même mort, t'es bon à rien. » Vous dites qu'il faut rassembler des informations qui puissent compléter le tableau ? Que dites-vous du portrait de Samantha, la danseuse nue ?

— Elle savait qu'il n'y avait plus de police d'assurance. Où serait le mobile ?

Il sourit et l'aiguillonna de nouveau.

— Je n'en sais rien, mais je conseille de continuer à poser des questions pour voir où ça nous mène.

— Pincez-moi, je rêve !

— Ah ! vous me menez à la dure maintenant que vous avez d'autres marrons au feu !

— Je vous mène à la dure, parce que vous êtes un enquiquineur. Et je ne vois pas ce que vous voulez dire avec vos marrons.

— Je parle de Noah Paxton. Je ne savais pas si je devais vous jeter un seau d'eau glacée ou faire semblant de recevoir un appel pour vous laisser un peu d'intimité !

— Voilà pourquoi vous n'êtes qu'un journaliste qui se contente de jouer au policier. Votre imagination est plus fertile que votre appréhension des faits !

Il haussa les épaules.

— Bon, c'est que je me suis trompé !

Soudain, il lui adressa son sourire, celui qui la faisait rougir. Ça recommençait : elle était perturbée par quelque chose qui aurait dû la faire éclater de rire. Elle enfila son oreillette et appela Raley.

— C'est moi.

Elle tourna légèrement la tête vers Rook et s'exprima d'une voix sèche et officielle, pour que son passager ne perde rien du sens, même s'il était facile de lire entre les lignes.

— Je veux que tu fasses des recherches approfondies sur le directeur financier de Matthew Starr, Noah Paxton. Regarde ce que tu trouves, antécédents, arrestations, la routine.

Lorsqu'elle raccrocha, Rook semblait amusé. Cela n'allait rien donner de bon, mais elle devait poser la question.

— Qu'est-ce qu'il y a ?

Comme il ne répondait pas, elle répéta la question.

— Vous avez oublié de lui demander de vérifier la marque d'eau de Cologne, dit-il avant d'ouvrir un magazine et de se mettre à lire.

Raley leva le nez de son ordinateur lorsque Heat et Rook entrèrent dans le bureau.

— Le type sur lequel vous vouliez des renseignements, Noah Paxton.

— Oui, vous avez trouvé quelque chose ?

— Pas encore. Mais il vient d'appeler.

Nikki évita le clin d'œil de cour de récréation que lui adressait Rook et consulta les messages sur son bureau. Celui de Paxton était en haut de la pile.

Sans le prendre, elle demanda à Raley si Ochoa s'était signalé. Il était chargé de surveiller Kimberly Starr. La veuve passait l'après-midi chez Bergdorf Goodman et dans les magasins de luxe de la 5ᵉ Avenue.

— J'ai entendu dire que faire chauffer la carte bleue était un baume pour les cœurs désespérés, dit Rook. À moins que la veuve joyeuse ne revende quelques frusques de grands couturiers contre des espèces sonnantes et trébuchantes.

Lorsque Rook disparut aux toilettes, elle en profita pour appeler Noah Paxton. Elle n'avait rien à cacher, mais n'avait pas envie d'essuyer des plaisanteries d'adolescent prépubère. Ni d'affronter ce sourire qui la mettait dans tous ses états ! Elle maudit le maire pour les faveurs qui l'obligeaient à se trimballer ce type.

— J'ai retrouvé les documents d'assurance que vous vouliez voir.

— Très bien, j'enverrai quelqu'un les chercher.

— J'ai aussi reçu la visite de vos spécialistes de la brigade financière dont vous parliez. Ils ont copié tous mes fichiers et ils sont partis. Vous ne plaisantiez pas.

— Comme ça, vous savez à quoi servent vos impôts. Euh..., j'espère que vous payez vos impôts, ne put-elle s'empêcher d'ajouter.

— Oui, mais vous n'êtes pas obligée de me croire sur parole. Vos types avec des badges et des fusils sont sans doute parfaitement capables de vous trouver ça.

— Ne vous en faites pas pour eux…

— Je sais que je ne me suis pas montré très coopératif.

— Oh! si, vous avez été parfait, dès que je vous ai menacé.

— Je voulais m'excuser. J'ai du mal à gérer mon chagrin.

— Vous n'êtes pas le premier, Noah, croyez-moi.

Le soir même, dans la rangée du milieu de la salle de cinéma, elle riait et mangeait ses pop-corns. Fascinée, charmée par la candeur de l'animation numérique, Nikki Heat se laissait emporter dans une histoire innocente, trans-porter dans les airs, telle une maison attachée à des milliers de ballons.

Quatre-vingt-dix minutes plus tard, en ren-trant chez elle, elle retrouva le poids de la gravité dans la canicule qui faisait monter les odeurs malsaines des bouches de métro et, même dans le noir, réverbérait la chaleur des bâtiments devant lesquels elle passait.

À des moments comme celui-ci, sans pouvoir se noyer dans le travail, sans les arts martiaux pour se calmer, elle était assaillie par les mêmes images.

Dix ans, déjà, et pourtant, c'était aussi la semaine dernière, hier au soir, toutes ces journées collées l'une à l'autre. Le temps n'avait pas d'importance. Cela ne comptait jamais lorsqu'elle revoyait le film de la « Nuit ».

C'était le week-end de Thanksgiving et sa première sortie de l'université depuis le divorce de ses parents. Nikki avait passé la journée à faire les courses avec sa mère, une tradition familiale transformée en mission sacrée par la nouvelle célibataire. Sa fille était bien décidée à faire de cette fête non le plus beau Thanksgiving de sa vie, mais le plus normal qui soit, étant donné la chaise bout de table et le souvenir de temps plus heureux.

Les deux femmes tournaient l'une autour de l'autre, comme toujours dans la minuscule cuisine de l'appartement new-yorkais, pour préparer les tartes du jour. Devant les deux rouleaux et la pâte rafraîchie, Nikki exprimait son désir d'abandonner, au profit du théâtre, la littérature comme matière principale.

Où étaient les bâtons de cannelle? Comment avait-elle pu oublier d'en acheter? La cannelle en poudre n'était pas digne d'entrer dans la composition des tartes de sa mère! Elle utilisait toujours de la cannelle fraîchement moulue. Comment avaient-elles pu oublier un tel ingrédient sur leur liste?

Nikki était aussi heureuse qu'un gagnant du loto lorsqu'elle en trouva toute une réserve dans le rayon épices de Morton Williams, sur Park Avenue. Pour rassurer sa mère, elle sortit son téléphone portable et appela l'appartement. Il sonna et sonna dans le vide.

Lorsque le répondeur se mit en route, elle se demanda si sa mère n'avait pas entendu la sonnerie à cause du bruit du mixeur. Pourtant, sa mère finit par décrocher. Par-dessus le ronronnement du message, elle s'excusa en disant qu'elle s'essuyait les mains pleines de beurre. Nikki détestait l'écho du répondeur, mais sa mère n'avait jamais su comment arrêter cette fichue machine avant de décrocher. Juste avant la fermeture, avait-elle besoin de quelque chose d'autre? Elle attendit pendant que sa mère allait surveiller le lait sur le feu.

Soudain, Nikki entendit des bruits d'éclats de verre et le hurlement de sa mère. Les jambes flageolantes, elle cria son nom. Toutes les têtes se tournèrent vers elle. Un autre hurlement. En entendant le téléphone tomber, de l'autre côté de la ligne, elle lâcha le bocal de bâtons de cannelle et se précipita vers la sortie. Se jeta sur la porte de la boutique, plutôt. Elle força brutalement l'ouverture et courut dans la rue, manquant de se faire renverser par un livreur en bicyclette. Deux pâtés de maisons.

Le téléphone collé à l'oreille, elle courait le plus vite possible, espérant que sa mère lui dise quelque chose, reprenne le téléphone. *Qu'est-ce qui ne va pas?* Elle entendit une voix d'homme, des bruits de pas, les gémissements de sa mère et le corps qui s'effondrait sur le sol. Un claquement de métal sur le sol de la cuisine. Plus qu'un immeuble à passer… Un tintement de bouteilles dans la porte du réfrigérateur. Le sifflement d'un bouchon. Des pas. Le silence. Puis un gémissement faible…

Et ensuite, un simple murmure : « Nikki… »

4

Nikki ne rentra pas directement chez elle après la séance de cinéma. Sur le trottoir, dans l'air nocturne moite et spongieux, elle contemplait son appartement, celui où elle avait grandi et qu'elle avait quitté pour entrer à l'université à Boston, avant d'en partir à nouveau, ce soir-là, pour acheter des bâtons de cannelle, car on ne pouvait pas se contenter de cannelle en poudre. La seule chose qui l'y attendait, c'était la solitude. Elle pourrait avoir de nouveau dix-neuf ans et entrer dans une cuisine où le sang de sa mère formait une mare sous le réfrigérateur; ou, si elle pouvait chasser les dialogues du dessin animé, elle pourrait entendre des informations sur un crime..., un crime de chaleur, dirait l'équipe de tournage. Un crime de chaleur... Le sens de son nom : Heat. Il y avait eu une époque où cela la faisait rire !

Elle songea à envoyer un texto à Don pour voir si son entraîneur était prêt pour une bière et du sport en chambre, au lieu de laisser un tardif personnage de dessin animé en tenue de super-héros l'aider à s'évader et lui éviter de partager la salle de bains le lendemain matin. Elle disposait encore d'une autre solution. Vingt minutes plus tard, dans la salle vide du commissariat, elle tournoyait sur sa chaise et contemplait le tableau blanc.

Elle avait déjà en tête tous les éléments connus à cet instant, accrochés dans un cadre qui ne révélait pas encore son image : la liste des empreintes relevées, la fiche verte de douze centimètres sur quinze avec les points essentiels, l'alibi de Kimberly Starr et ses antécédents ; les photos du corps de Matthew Starr sur le trottoir ; les photos du légiste des contusions sur le torse de Starr, avec les marques hexagonales distinctives laissées par une bague.

Elle se leva et s'en approcha. Plutôt que d'observer la taille et la forme de cette marque de bague, elle écoutait sa musique, sachant que, à un moment ou un autre, les indices prendraient la parole. Cette photo, plus que tous les éléments affichés, murmurait à son oreille. Elle avait eu cette petite musique en tête toute la journée ; c'était ce murmure qui l'avait attirée ici, dans le silence de la nuit, où elle pourrait l'entendre plus clairement. Pourquoi un assassin, qui jetait sa victime par-dessus le balcon, prenait-il la peine de lui infliger des blessures légères ? Ces bleus n'étaient pas les marques aléatoires d'une quelconque bagarre. Elles étaient précises, présentaient un dessin bien défini et se superposaient même parfois. Don, son maître d'art martial, lui parlait de « repeindre son adversaire ».

Une des premières choses que Nikki Heat avait améliorées lorsqu'elle avait pris les commandes de son unité, c'était le partage des informations. Elle se brancha sur le serveur et ouvrit le fichier OCHOA en lecture seule.

Elle fit défiler les pages et tomba sur l'interrogatoire du portier du Guilford. Elle l'adorait, cet Ochoa. Ses talents de dactylo étaient minables, mais il notait tout et posait les bonnes questions.

Q : Victim kité bat matin ?

R : N.

Nikki referma le fichier d'Ochoa et regarda l'horloge. Elle pouvait envoyer un message à son patron, mais il risquait de ne pas le voir. S'il dormait, par exemple. Comme tapoter sur les touches de son téléphone ne faisait que différer les choses, elle composa donc son numéro. À la quatrième sonnerie, Heat s'éclaircit la gorge, se préparant à laisser un message vocal, mais Montrose décrocha. Son bonsoir ne semblait pas ensommeillé, et elle entendait la météo à la télévision.

— J'espère qu'il n'est pas trop tard, capitaine.

— S'il est trop tard, il est trop tard pour espérer. Que se passe-t-il ?

— Je suis passée au poste pour visionner la vidéo de surveillance du Guilford, mais je ne l'ai pas trouvée. Vous savez où elle est passée ?

Son patron couvrit l'appareil et murmura quelque chose à sa femme. Lorsqu'il reprit Nikki, la télévision était éteinte.

— J'ai reçu un appel ce soir, pendant le dîner, de l'avocat qui représente les résidents. Ce sont des personnes fortunées, assez pointilleuses en matière de vie privée.

— Et elles sont pointilleuses aussi à propos de leurs colocataires qui passent par-dessus le balcon ?

— Vous prêchez un convaincu ! Pour nous la laisser, il leur faudra une injonction de la cour. J'ai les yeux sur l'horloge et je crois que je vais attendre de pouvoir trouver un juge qui nous en signe une dès demain matin.

Elle soupira assez fort pour qu'il l'entende, car elle voulait être certaine qu'il allait le faire. Elle ne supportait pas l'idée de gâcher une journée de plus pour une malheureuse injonction.

— Nikki, allez dormir, dit-il avec sa gentillesse habituelle. On s'en occupera demain dans la journée.

Bien entendu, il avait raison. On ne réveillait un juge au beau milieu de la nuit que lorsqu'on travaillait sur une affaire capitale et qu'on se battait contre le temps.

Pour la plupart des juges, il ne s'agissait que d'un meurtre banal et elle était trop avisée pour pousser le capitaine Montrose à jouer cette carte. Elle éteignit sa lampe de bureau.

Elle la ralluma aussitôt. Rook connaissait bien un juge. Horace Simpson était l'un de ses partenaires de poker lors des séances hebdomadaires qu'elle évitait toujours lorsqu'il l'invitait. Simpson n'était pas un nom aussi sexy que celui de Mick Jagger, mais, aux dernières nouvelles, les Stones n'émettaient pas d'injonctions.

Un instant, pensa-t-elle. Avoir envie était une chose, demander un service à Jameson Rook en était une autre ! D'ailleurs, elle l'avait entendu se

74

vanter devant les Gars d'avoir rendez-vous avec la groupie qui s'était introduite sur la scène de crime. À cette heure, Heat interrompait peut-être une séance d'autographes sur une autre partie de son corps plus excitante. Elle attrapa aussitôt le téléphone et l'appela sur son portable.

— Heat! dit-il sans la moindre note de surprise.

C'était presque un cri, comme dans la série *Cheers*, lorsqu'ils hurlent le nom de Norm pour l'inviter à boire une bière. Elle tendit l'oreille pour tenter de deviner où il se trouvait, mais pourquoi? S'attendait-elle à ce qu'il débouche une bouteille de Champagne sur une musique jazzy de Kenny G?

— Je vous dérange?

— Le numéro indique que vous appelez du commissariat.

Une esquive. Ce mariole de journaliste ne répondait pas à sa question. Elle pouvait peut-être le menacer de l'enfermer dans la cage aux fauves?

— Une enquête n'est jamais terminée, bla-bla-bla. Vous écrivez?

— Je suis dans un taxi. Je viens de manger au Balthazar, c'était faramineux.

Silence. Elle avait appelé pour lui faire une entourloupe. Comment se faisait-il que ce soit elle qui finisse par se faire mener par le bout du nez?

— Vous pourrez me faire votre chronique gastronomique plus tard; c'est un appel professionnel, dit-elle tout en se demandant si la groupie avait eu la décence de ne pas porter un jean coupé dans un resto branché de Soho. Je vous appelle pour vous dire de ne pas venir à la réunion demain matin. Elle est annulée.

— Annulée ? C'est une première !

— On avait l'intention de préparer un interrogatoire de Kimberly Starr... Ce n'est plus d'actualité.

Rook sembla magnifiquement inquiet.

— Comment ça se fait ? Il faut l'interroger !

Elle aimait le ton d'urgence dans sa voix et n'éprouvait que bien peu de scrupules à le manipuler.

— On voulait lui montrer la vidéo de surveillance du Guilford d'hier. Mais je ne peux pas l'obtenir sans une injonction et bonne chance pour contacter un juge ce soir !

Heat revoyait une scène sous-marine d'un saumon ouvrant grand la gueule pour avaler un leurre miraculeux, dans une de ces publicités pour la pêche qu'elle regardait bien trop souvent lors de ses nuits d'insomnie.

— Je connais un juge, dit alors Rook.

— Laissez tomber.

— Horace Simpson.

À présent, Nikki faisait les cent pas dans le bureau, essayant de ne pas trahir son sourire en disant :

— Écoutez, Rook, restez en dehors de ça.

— Je vous rappelle.

— Rook, je vous ai dit de rester tranquille, dit-elle de sa voix la plus autoritaire.

— Je sais qu'il n'est pas couché. Il est sans doute devant sa chaîne porno câblée.

Nikki entendit la femme ricaner en arrière-plan au moment où Rook raccrochait.

Elle avait obtenu ce qu'elle voulait, mais cela ne ressemblait pas à une victoire, pas à la victoire qu'elle avait imaginée. Et qu'est-ce que cela pouvait bien lui faire ? se demanda-t-elle une fois encore.

À dix heures, le lendemain matin, dans la moiteur de ce que les tabloïds décrivaient comme « l'enfer de l'été », Nikki Heat, les Gars et Rook se retrouvèrent sous l'auvent du Guilford avec deux jeux de photographies tirées de la caméra de surveillance de l'entrée. Heat laissa Raley et Ochoa en montrer un au portier pendant qu'elle allait retrouver Kimberly Starr avec Rook.

— Inutile de me remercier, dit-il, les portes de l'ascenseur à peine refermées.

— Pourquoi vous remercier ? Je vous avais expressément demandé de ne pas appeler ce juge. Comme d'habitude, vous n'en avez fait qu'à votre tête.

Il marqua une pause pour absorber la justesse de ses propos.

— Il n'y a pas de quoi, de toute façon. (Il se lança dans son numéro habituel.) C'est ce que j'ai entendu entre les lignes. Ouais, l'air est lourd de sous-entendus, ce matin, lieutenant Heat.

Prenait-il seulement la peine de la regarder ? Même pas ! Non, la tête en arrière, il observait les lumières de l'ascenseur, mais, figée par l'impression qu'il la déshabillait aux rayons X, elle se trouvait à court de mots.

La clochette annonçant le sixième étage vint à son secours. Qu'il aille au diable !

Lorsque Noah Paxton ouvrit la porte de l'appartement de Kimberly Starr, Nikki nota dans un petit coin de son esprit de ne pas oublier de chercher si la veuve et le financier couchaient ensemble.

Dans une affaire de meurtre, on ne pouvait rien négliger, et qu'est-ce qui trouvait sa place sur la liste des « Et si... » sinon une femme trophée qui aimait trop l'argent et l'homme qui ouvrait le porte-monnaie, sinon une histoire d'oreiller ?

— Quelle surprise ! se contenta-t-elle de dire.

— Kimberly va rentrer en retard de son rendez-vous avec l'esthéticienne, dit Paxton. Je passais lui remettre des documents à signer, et elle m'a appelé pour me demander de vous tenir compagnie jusqu'à son retour.

— C'est sympa de voir qu'elle s'investit autant pour retrouver l'assassin de son mari, dit Rook.

— Bienvenue dans mon monde. Faites-moi confiance : Kimberly ne s'investit nulle part.

Heat essaya de comprendre. Était-ce de l'exaspération ou un moyen de la couvrir ?

— En attendant, j'aimerais vous montrer quelques photos.

Heat s'installa sur le fauteuil qu'elle avait occupé la veille et sortit une enveloppe de papier kraft. Paxton s'assit sur le divan, en face d'elle, et elle étala deux rangées de photographies devant lui, sur la table basse en laque rouge.

— Regardez bien ces personnes. Dites-moi si l'une d'entre elles vous semble familière.

Une par une, Paxton étudia les douze photos. À son habitude en ces circonstances, Nikki observa l'observateur. Méthodique, il alla de droite à gauche, regarda la rangée du haut, puis celle du bas, d'un mouvement régulier, sans marquer de pause anarchique. Sans le moindre soupçon de désir, elle se demanda s'il se comportait de la même manière au lit et pensa une fois de plus à ses expéditions en banlieue sans cesse différées et à des habitudes plus agréables.

— Je suis désolé, dit Paxton une fois qu'il eut terminé. Je ne reconnais personne.

Puis il posa la question que tout le monde posait en ne reconnaissant personne :

— L'assassin est parmi eux ?

Comme tout le monde, il regarda encore, essayant de deviner qui était le coupable, comme si cela se lisait sur les visages.

— Je peux vous poser une question idiote ? demanda Rook tandis qu'elle rangeait les photos dans l'enveloppe.

Une fois de plus, il n'avait pas demandé la permission d'ouvrir la bouche.

— Si Matthew Starr était aussi fauché, pourquoi n'a-t-il pas vendu une partie de ses biens ? Quand on regarde tous les meubles anciens, toutes ces œuvres d'art... À lui seul, ce lustre pourrait sauver un pays émergent pendant presque un an.

Heat leva les yeux vers le lustre italien, les appliques françaises, la galerie de peintures qui montait jusqu'à une hauteur de cathédrale, le miroir Louis XV doré, les meubles luxueux et se dit que, de temps en temps, monsieur le mariole d'écrivain parlait d'or.

— Écoutez, cela me gêne d'en parler.

Puis il regarda par-dessus l'épaule de Nikki, comme si Kimberly Starr risquait d'arriver.

— C'est une question toute simple. Et c'est une bonne question, dit-elle en sachant qu'elle regretterait d'avoir tendu la perche à Rook. C'est vous qui vous occupez des finances, non ?

— J'aimerais que cela soit aussi simple.

— Essayez. Parce que je vous ai entendu me dire à quel point il était dans la dèche avec sa compagnie au bord de l'explosion, son argent personnel qui s'échappait comme le pétrole d'un forage en Alaska ; alors, quand je vois tout ça... Combien ça vaut, de toute façon ?

— Ça, je peux vous le dire. ATM, de cinquante à soixante millions.

— ATM ?

— Au taux actuel du marché, répondit Rook.

— Même bradé, cinquante millions, cela résout pas mal de problèmes.

— Je vous ai montré nos livres de comptes, je vous ai expliqué la situation financière, j'ai regardé vos photos, cela ne suffit pas ?

— Non, et vous savez pourquoi ?

Les avant-bras sur les genoux, elle se pencha vers lui.

— Parce qu'il y a quelque chose que vous essayez de cacher. Alors, je veux savoir quoi, ici, ou je vous convoque au commissariat.

Elle lui laissa un peu d'espace pour qu'il puisse mener son dialogue intérieur.

— Je me sens coupable de le dénigrer comme ça, chez lui, le lendemain de sa mort.

Elle attendit encore un peu.

— Matthew avait un ego démesuré. C'est indispensable pour accomplir tout ce qu'il a fait, mais le sien dépassait les bornes. C'était son orgueil qui rendait cette collection intouchable.

— Il se débattait pourtant dans un marasme financier, dit Nikki.

— C'est pour cela qu'il n'a pas voulu tenir compte de mes conseils... Des conseils ! Tu parles ! Des supplications, plutôt, pour qu'il vende tout. Je voulais qu'il s'en débarrasse avant la faillite pour éviter que les créanciers fassent main basse dessus. Mais cette pièce, c'était son palais. La preuve qu'il était toujours le roi.

À présent qu'il avait craché le morceau, Paxton s'anima et fit les cent pas le long du mur.

— Vous avez vu les bureaux, hier. Pour lui, il était hors de question de rencontrer les clients là-bas. Il les amenait ici pour négocier, assis sur son trône, au milieu de son petit Versailles. La collection Starr. Il jubilait de voir les grands pontes venir admirer l'un de ces fauteuils Queen Anne et demander si on pouvait s'y asseoir. Ou regarder une peinture en sachant ce qu'elle lui avait coûté. Et si on ne lui posait pas la question, il s'arrangeait pour donner la réponse. Parfois, je me cachais la tête dans les mains tellement j'étais gêné.

— Alors, qu'est-ce que tout cela va devenir maintenant ?

— Maintenant, bien sûr, je peux commencer la liquidation. Il y a des dettes à payer, sans parler des goûts de luxe de Kimberly à financer. Je suppose qu'elle est prête à se débarrasser de quelques babioles pour garder le même train de vie.

— Et une fois que vous aurez payé les dettes, il en restera assez, malgré l'absence d'assurance vie ?

— Je ne pense pas que Kimberly ait besoin d'organiser un téléthon, dit Paxton.

Nikki réfléchissait en faisant les cent pas dans la pièce. Lors de sa précédente visite, il s'agissait d'une scène de crime. À présent, elle estimait simplement sa valeur.

Les objets en cristal, les tapisseries, la bibliothèque dix-huitième, gravée de fruits et de fleurs. Elle vit une peinture qui lui plaisait, une marine de Raoul Dufy, et se pencha pour la regarder de plus près. Le Museum of Fine Arts de Boston n'était qu'à dix minutes à pied de sa chambre à l'époque où elle suivait les cours de l'Université de Northeastern.

Même si les heures passées au musée ne suffisaient pas pour la qualifier d'experte, elle reconnaissait quelques-unes des œuvres que Matthew Starr avait accumulées. Elles étaient très onéreuses, mais, à ses yeux, la pièce n'était qu'un étalage de fatras en tous genres.

Les impressionnistes côtoyaient les grands maîtres ; des affiches allemandes des années 1930 se frottaient avec un triptyque religieux italien du quinzième siècle. Elle s'attarda devant un John Singer Sargent, une étude pour une de ses peintures préférées, *Carnation, Lily, Lily,*

Rose. Bien qu'il ne s'agît que d'une esquisse à l'huile, l'une des nombreuses que Sargent exécutait avant chaque toile, Nikki était fascinée par la silhouette familière des deux fillettes, si innocentes dans leur robe à volants, qui allumaient des lanternes dans le jardin, dans les lueurs délicates du crépuscule.

Puis elle se demanda ce que faisait cette toile à côté d'un flamboyant Gino Severini, une petite fortune sans aucun doute, mais une huile criarde et pleine de paillettes.

— Les collections que je vois ont généralement..., je ne sais pas..., un thème, une même sensibilité, une unité de...

— Ton ? dit Paxton.

À présent qu'il avait franchi la limite, il tirait à vue. Néanmoins, il baissa la voix et murmura, en regardant tout autour de lui, comme s'il essayait d'éviter les foudres du ciel, pour oser ainsi dire du mal des morts sans se priver quand même !

— Je sais, il n'y a ni rime ni raison dans toute cette collection et, si vous vous demandez pourquoi, je connais la réponse : Matthew Starr était totalement ignare. Il ne connaissait rien à l'art en dehors du prix !

Rook s'approcha de Heat.

— Je crois qu'en cherchant bien, on trouvera une de ces horreurs de *Dogs Playing Poker*[1].

---

1. Série de neuf tableaux sur les seize commandés à C. M. Coolidge en 1903 par la firme Brown & Bigelow dans le cadre d'une campagne publicitaire de cigares. Ces œuvres symbolisent aujourd'hui le mauvais goût de l'Américain moyen. (NDT)

Elle rit. Même Paxton esquissa un sourire. Tous s'arrêtèrent de parler lorsque Kimberly Starr entra.

— Excusez-moi, je suis en retard.

Heat et Rook la regardèrent, dissimulant difficilement leur stupéfaction. Elle avait le visage tout gonflé après une injection de Botox ou d'un autre produit du même genre. La rougeur et les hématomes accentuaient le gonflement artificiel de ses lèvres. Son front et ses sourcils étaient jalonnés de bosses rose foncé qui comblaient le creux des rides et semblaient grossir à vue d'œil. On aurait dit qu'elle était tombée face la première dans un nid de frelons !

— Les feux étaient en panne à Lexington. Fichue vague de chaleur !

— J'ai laissé les papiers à signer sur le bureau, dit Noah Paxton.

Il avait déjà une main sur la poignée de son attaché-case et l'autre sur le bouton de la porte.

— J'ai encore pas mal de questions à régler au bureau. Lieutenant Heat, si vous avez besoin de moi, vous savez où me trouver.

Le long regard qu'il adressa à Nikki dans le dos de Kimberly mit du plomb dans l'aile à sa thèse sur la liaison du comptable et de la jolie femme, même si cela méritait encore vérification.

Kimberly et Nikki s'installèrent sur les mêmes fauteuils du salon que le jour du meurtre. Rook évita le large fauteuil de toile et s'assit sur le divan, à côté de Mme Starr. Sans doute pour ne pas être obligé de la regarder.

Le visage n'était pas la seule chose qui avait changé. Elle avait troqué ses vêtements Talbots contre une tenue Ed Hardy, une robe bustier noire avec une grande rose rouge imprimée et *Pour celui que j'aime* écrit sur une sorte de ruban, à la mode motard. Enfin, la veuve portait quand même du noir ! Kimberly s'adressa à Nikki d'un ton sec, comme si on s'immisçait dans le reste de sa journée.

— Bon, je crois que vous vouliez me demander quelque chose ?

Heat ne s'offusqua pas. Elle n'était pas là pour juger, mais pour jauger. Et elle estimait que, chagrin mis à part, Kimberly Starr la traitait comme une subalterne et qu'il fallait renverser ce rapport de force vite et bien.

— Pourquoi avez-vous menti à propos de votre alibi au moment du meurtre de votre mari, madame Starr ?

Le visage gonflé était encore capable de trahir certaines émotions, dont la peur faisait partie. Nikki Heat appréciait cette expression.

— Comment ça, menti ? Pourquoi aurais-je menti ?

— J'y viendrai en temps et en heure. D'abord, je voudrais savoir où vous vous trouviez entre une et deux heures de l'après-midi, puisque vous n'étiez pas chez Dino-Bites. Vous avez menti.

— Je n'ai pas menti, j'y étais.

— Vous avez déposé votre fils et la nounou et vous êtes partie. J'ai des témoins. Vous voulez que je demande à la nounou ?

— Non, c'est vrai, je ne suis pas restée.

— Alors, où étiez-vous, madame Starr ? Et cette fois, je vous conseille de me dire la vérité.

— Bon, très bien. J'étais avec un homme. J'étais gênée, je n'ai pas osé en parler.

— Eh bien, c'est le moment. Qu'est-ce que vous voulez dire par « avec un homme » ?

— Mon Dieu, vous êtes une vraie garce. Je couchais avec lui, d'accord ? Vous êtes contente ?

— Comment s'appelle-t-il ?

— Vous plaisantez !

Le visage de Nikki était parfaitement capable d'exprimer toute une série d'émotions. Et en l'occurrence, il disait qu'elle ne plaisantait pas.

— Et ne me dites pas que c'était Barry Gable. Il dit que vous lui avez posé un lapin.

Le sourire de Kimberly s'affaissa.

— Barry Gable, vous savez ? Le type qui vous a agressée ? Vous avez dit à Ochoa qu'il essayait de vous voler votre sac et que vous ne le connaissiez pas.

— J'ai une liaison. Mon mari venait de mourir, je ne voulais pas en parler.

— Puisque vous avez surmonté votre timidité, Kimberly, parlez-moi de votre liaison, que je puisse vérifier votre alibi. Et bien entendu, vous savez que je vérifierai.

Kimberly lui donna le nom du Dr Cory Van Peldt. Oui, c'était la vérité, dit-elle, et, oui, c'était le médecin qu'elle avait vu ce matin. Heat lui fit épeler le nom et le nota dans son carnet avec le numéro de téléphone.

Kimberly raconta qu'elle l'avait rencontré pour la première fois en allant consulter le célèbre visagiste et qu'il s'était passé quelque chose de magique.

Nikki pensait que cette magie se situait dans son pantalon et qu'il s'agissait de son porte-feuille, mais elle était trop maligne pour le dire. Elle pria pour que Rook ait la même intelligence. Puisque l'hostilité était toujours de mise, Nikki décida de continuer à faire pression.

Dans quelques minutes, elle aurait besoin de la coopération de Kimberly pour reconnaître les photos et voulait qu'elle réfléchisse à deux fois avant de raconter d'autres bobards ou que sa peur la trahisse sur-le-champ.

— Il y a beaucoup de choses que l'on ne peut prendre au pied de la lettre avec vous.

— Qu'est-ce que cela signifie ?

— C'est à vous de me le dire, Laldomina.

— Je vous demande pardon ?

— Samantha, alors.

— Ah ! Ne commencez pas avec ça !

— Oh ! oh ! du calme ! Vous aviez l'air de sortir de la haute… (Elle se tourna vers Rook.) Vous voyez ce que cela fait, le stress… Le naturel revient au galop !

— D'abord, mon nom officiel est Kimberly Starr. Ce n'est pas un crime de changer de nom !

— Aidez-moi : pourquoi Samantha ? Avec votre couleur de cheveux naturelle, j'aurais plutôt pensé à Tiffany ou Crystal.

— Vous, les flics, ça vous amuse de nous en faire voir de toutes les couleurs quand on essaye de s'en sortir par tous les moyens possibles. On fait ce qu'il y a à faire, voilà tout.

— C'est bien pour cela que nous avons cette conversation.

— Et si cela signifie tuer mon mari... Mon Dieu, je n'arrive pas à croire que je viens de dire ça... La réponse est non.

Elle attendit que Nikki réagisse, mais rien ne vint. *Laissons-la mariner*, pensa Heat.

— Mon mari aussi a changé son nom, vous le saviez? Dans les années quatre-vingt. Il a suivi un séminaire de marketing et a compris que son nom était un handicap. Bruce Delay... Il disait que l'association des mots : « construction » et « délai », ce n'était pas très vendeur. Alors, il a cherché des noms qui donneraient une image positive. Vous savez, des noms dynamiques qui inspirent confiance. Il a fait une liste, avec des noms comme « Champion », « Premier », et a choisi « Star ». Il a ajouté un « r » pour que cela fasse plus naturel.

Comme la veille, lorsqu'elle avait traversé le vestibule opulent qui donnait sur les bureaux fantômes, Heat voyait un autre pan de l'image publique de Matthew Starr se fissurer.

— Et Matthew? Comment cela lui est venu?

— Des recherches. Il a fait des sondages pour voir quel nom donnait le plus confiance, avec son visage. Et alors, pourquoi moi, j'aurais pas changé le mien? Ça vous défrise?

Heat décida qu'elle en avait assez entendu sur le sujet et qu'elle avait au moins un nouvel alibi à vérifier. Elle sortit sa série de photos. Tandis qu'elle commençait à les étaler et lui demandait de prendre tout son temps, Kimberly l'interrompit au troisième cliché.

— Lui, je le connais. C'est Miric.

Nikki eut le picotement qu'elle ressentait toujours lorsqu'un domino était près de tomber.

— Et comment le connaissez-vous ?

— C'est le bookmaker de Matt.

— Miric, c'est son nom ou son prénom ?

— Vous en avez après les noms, aujourd'hui !

— Kimberly, c'est peut-être lui qui a tué votre mari.

— Je ne sais pas. C'est Miric, tout court. Un Polonais, je crois. Je suis pas sûre.

Nikki lui fit regarder les autres portraits, mais elle ne reconnut plus personne.

— Vous affirmez que votre mari déposait ses paris chez lui ?

— Oui, puisque je vous le dis.

— Lorsque Noah Paxton a regardé ces photographies, il ne l'a pas reconnu. Si c'est lui qui paye les factures, il devrait quand même le connaître ?

— Noah ? Il ne veut pas entendre parler de paris. Il fallait bien qu'il donne l'argent à Matthew, mais il regardait ailleurs.

Kimberly affirma ne pas connaître l'adresse ni le numéro de téléphone de Miric.

— Je ne le voyais que lorsqu'il se pointait ici ou au restaurant.

Nikki fouillerait le bureau de Starr, éplucherait son agenda et son BlackBerry pour consulter la liste des appels, mais un visage et un métier, c'était déjà un bon début.

Tout en empilant les photos avant de les ranger, elle dit à Kimberly qu'elle était étonnée qu'elle sache que son mari jouait.

— Voyons, une femme sent toujours ce genre de choses. Je savais qu'il avait des liaisons aussi. Vous savez combien de blennos je me suis payées, ces six dernières années ?

Non, et Nikki n'avait pas envie de savoir. Néanmoins, elle lui demanda de citer les noms des aventures de son mari dont elle se souvenait. Kimberly répondit que la plupart d'entre elles étaient des liaisons passagères, des aventures sans lendemain, lors des week-ends au casino, et qu'elle ne connaissait pas leur nom.

Une seule avait duré un peu, avec une jeune responsable du service marketing ; six mois, mais c'était terminé depuis trois ans. La fille avait quitté la société. Kimberly donna son nom et trouva son adresse sur une vieille lettre d'amour qu'elle avait interceptée.

— Vous pouvez la garder si vous voulez. Je ne la conservais que pour avoir une preuve en cas de divorce, pour lui faire cracher son pognon.

Sur ce, Nikki l'abandonna avec son chagrin.

Les Gars les attendaient dans le hall. Les deux policiers avaient ôté leur veste, et la chemise de Raley était de nouveau trempée.

— Il faudrait songer à porter des maillots de corps, Raley, dit Heat.

— Ou opter pour les chemises Oxford en coton, ajouta Ochoa. Ces machins en polyester, ça devient transparent lorsqu'on transpire.

— Ça t'excite, Ochoa ? demanda Raley.

— Tu vois, je suis comme ta chemise : je suis transparent !

Les Gars avaient obtenu les mêmes résultats en montrant les photos au portier.

— Il a fallu le bousculer un peu, dit Ochoa. Il était un peu gêné que Miric ait réussi à s'introduire dans les étages. Il doit appeler l'appartement avant de laisser monter quelqu'un. Il prétend qu'il était allé pisser et qu'il avait dû le rater à ce moment-là. Mais il l'a bel et bien vu sortir.

Le portier avait décrit Miric comme un sale petit furet qui venait voir M. Starr de temps en temps, mais dont les visites s'étaient multipliées ces quinze derniers jours, expliqua Ochoa en lisant ses notes.

— Et on a un bonus, ajouta Raley. Ce monsieur est venu avec son pote hier, dit-il en montrant une des photos. On dirait que Miric a eu besoin d'un peu plus de muscles.

Bien sûr, l'instinct de Nikki l'avait déjà incitée à s'intéresser à ce Musclor qui devait passer la moitié de son temps à pousser de la fonte. Dans d'autres circonstances, à le voir, elle aurait pensé qu'il livrait des climatiseurs, un sous chaque bras, de préférence. Mais le grand hall du Guilford n'était pas une entrée de service, et un homme avait été jeté par-dessus le balcon.

— Le portier a pu l'identifier ?

— Par son surnom, seulement : l'Homme de fer.

Pendant qu'on passait les visages de Miric et de l'Homme de fer sur l'ordinateur du poste, les photos numériques des deux bonshommes étaient envoyées à toutes les brigades et patrouilles. La petite unité de Heat n'avait pas les moyens de passer au crible tous les bookmakers de Manhattan, en supposant que Miric y opérait et ne venait pas d'une banlieue ou du New Jersey.

De plus, un homme comme Matthew Starr pouvait faire appel à un service privé ou à une agence sur Internet, ce dont il ne se privait sans doute pas. Pourtant, s'il était aussi accro et aussi désespéré que le prétendait Paxton, Starr devait recourir aux gens de la rue aussi.

Ils se répartirent les tâches et séparèrent les bookmakers connus en deux zones. Les Gars ratissèrent l'Upper West Side, autour du Guilford, et Heat et Rook couvriraient Midtown, près de l'immeuble des bureaux de Starr, c'est-à-dire la zone de Central Park à Times Square.

— C'est exaspérant, dit Rook, au bout du quatrième interrogatoire, avec un vendeur des rues qui avait décidé brusquement qu'il ne parlait pas anglais lorsque Nikki avait montré son insigne.

C'était l'un des coursiers d'un important bookmaker, dont la camionnette se montrait pratique pour prendre un pari vite fait en avalant un kebab.

Ils en prenaient plein les yeux, de cette fumée âcre du gril, qui les poursuivait dans leurs moindres mouvements, tandis que le vendeur à la sauvette plissait les sourcils devant les photos et haussait les épaules.

— Bienvenue dans la police, Rook. C'est ce que j'appelle le Google des rues. Le moteur de recherche, c'est nous, c'est comme ça que ça marche !

À l'adresse suivante, un vendeur d'informatique discount sur la 51e Rue, bien plus doué pour vous doubler que pour double-cliquer, Rook lâcha :

— Je dois vous dire que, si la semaine dernière on m'avait dit que j'allais battre le pavé pour chercher les bookmakers de Matthew Starr, je ne l'aurais jamais cru.

— Vous voulez dire que ça ne correspond pas à votre standing ? C'est là qu'on s'aperçoit que nous vivons dans deux mondes différents. Vous écrivez des articles pour des magazines, vous êtes là pour vendre une image. Moi, je suis là pour regarder l'envers du décor. Je suis souvent déçue, mais je me trompe rarement. La vérité se cache toujours dans l'envers du décor. Il faut simplement avoir envie de regarder.

— Oui, mais ce type était un ponte. Peut-être pas l'élite de l'élite des millionnaires, mais au moins le Donald Trump du coin.

— J'ai toujours pensé que Donald Trump était le Donald Trump du coin.

— Et qui est Kimberly Starr ? Une riche bimbo à la Tara Reid ? Si c'est une pauvre petite fille riche, pourquoi elle gâche tout son fric sur son minois ?

— Si je devais parier, je dirais qu'elle se paie ça avec l'argent de Barry Gable.

— Ou qu'elle l'a déjà amassé avec son nouveau petit copain le médecin ?

— Faites-moi confiance, je finirai par le savoir. Une fille comme Kimberly ne va pas commencer à collectionner les bons de réduction et manger des nouilles une fois par semaine. Elle se façonne le visage pour la prochaine saison du *Bachelor*.

— S'ils font le tournage sur l'*Île du docteur Moreau* !

Elle se le reprocha intérieurement, mais elle se mit à rire. Cela ne fit que l'encourager.

— Ou si elle postule pour un remake d'*Elephant Mon* ! « Je ne suis pas un suspect, je suis un être humain », cita Rook, d'une voix gutturale.

Ils reçurent l'appel radio au moment où ils rentraient dans la voiture après être tombés sur un os dans le magasin d'informatique. Les Gars avaient repéré à l'instant Miric, devant l'officine d'un bookmaker sur la 72e Rue Ouest et demandaient des renforts.

Heat posa le gyrophare sur le toit et dit à Rook de boucler sa ceinture.

— Je peux mettre la sirène ? demanda-t-il, radieux.

5

Il mourait d'envie de se lancer dans une folle course-poursuite en plein cœur de Manhattan. Le lieutenant Heat accéléra, freina, trouva un espace vers l'avant, braqua brusquement vers la droite, accéléra de nouveau avant d'être obligée de freiner encore, quelques mètres plus loin. Totalement concentrée sur toute l'avenue, elle surveillait les rétroviseurs, observait les trottoirs, les passages cloutés, le livreur garé en double file qui ouvrait la porte de sa camionnette et aurait perdu la vie sans son talent de conductrice. Sirènes et gyrophares ne servaient à rien dans une telle circulation, sauf pour les piétons, éventuellement, mais les voies étaient si encombrées que même les chauffeurs assez scrupuleux pour s'écarter et laisser un passage n'avaient que peu de marge de manœuvre.

— Allez, dégagez ! cria Rook, sur le siège du passager, à un taxi immobilisé devant leur pare-brise.

Il avait la voix desséchée par la montée d'adré-naline, et les mots, ponctués par l'air qui sortait de ses poumons écrasés par la ceinture de sécurité à chaque coup de frein, étaient coupés en deux.

Heat ne perdait pas sa concentration. C'était le quotidien du flic, ce jeu vidéo grandeur nature dans les rues, une course contre la montre à travers un dédale de constructions, de stands, d'embouteillages, de casse-cous, de crétins finis, de salopards, d'inconscients... Elle savait que sur la 8ᵉ Avenue, elle roulerait au pas, au sud de Columbus Circle. Puis, pour une fois, le bouchon sauta en sa faveur. Une immense limousine Hummer, qui empruntait la même direction que Nikki, bloquait le carrefour de la 55ᵉ Rue. Nikki se faufila dans la bandelette de lumière ainsi créée et vira à gauche. Profitant d'une circulation moins dense, elle fila vers la 10ᵉ Avenue, avec, en fond sonore, les exclamations de Rook et les grésillements de la voix d'Ochoa dans la radio qui lui cassaient les oreilles.

Comme prévu, les choses s'améliorèrent un peu lorsqu'elle passa l'angle de la 10ᵉ Avenue. Après un petit exercice de gymkhana dans l'intersection à double sens avec la 57ᵉ Rue Ouest, la 10ᵉ Avenue, qui devenait Amsterdam Avenue, se faisait plus large, avec une voie réservée aux urgences au centre, que quelques conducteurs épargnaient. Roulant vers le nord à une allure plus respectable, elle longeait l'arrière de Lincoln Center lorsqu'elle reçut l'appel de Raley. Il avait Miric.

Ochoa était lancé à la poursuite du suspect numéro deux qui courait vers l'ouest, sur la 72ᵉ Rue.

— Ce doit être l'Homme de fer, dit-elle, les premiers mots qu'elle prononçait depuis qu'elle avait demandé à Rook d'attacher sa ceinture à Times Square.

Essoufflé, Ochoa parlait dans la radio au moment où elle fonça dans la 70e Rue, vers le carrefour où Broadway croisait Amsterdam. « Sus...pect... court... ouest... vers... Arrive à Broad...way...

— Il file vers la bouche de métro! dit Heat à Rook, mais surtout pour elle-même.

— Traverse...

Un bruyant coup de klaxon, puis...

— Suspect... traverse... Broadway... se dirige vers le métro.

Elle attrapa la radio.

— Description?

— Homme blanc, corpulent... Chemise rouge sur pantalon de camouflage... Chaussures noires...

Pour compliquer le tout, il y avait deux bouches de métro au carrefour de la 72e Rue et de Broadway; le vieux bâtiment historique de pierre du côté sud, et le nouvel atrium de verre et d'acier juste en face, côté nord. Nikki s'arrêta devant le vieil immeuble.

Elle savait que le guichet se trouvait au milieu du bâtiment, du côté nord de la 72e Rue; un homme en fuite serait tenté de disparaître dans la première bouche venue, la nouvelle station, et Ochoa le suivrait. Elle voulait couper la route et l'empêcher de s'enfuir par l'autre côté du tunnel.

— Restez dans la voiture! Je ne plaisante pas! cria-t-elle à Rook en s'extirpant du siège du conducteur et en accrochant son badge autour du cou. Dans les couloirs du métro, il faisait encore dix degrés de plus qu'à l'extérieur, et une puanteur d'ordures se mêlait à la fournaise qui montait du sous-sol et l'agressait tandis qu'elle courait le long des distributeurs. Heat fit tourner le portillon d'une main moite qui glissa sur l'acier. À demi accroupie, elle retrouva son équilibre, les yeux levés vers Chemise-rouge-pantalon-de-camouflage qui grimpait les marches.

— Police ! On ne bouge plus !

Ochoa montait l'escalier derrière lui. Privé de son échappatoire, le grand type contourna Heat pour se précipiter vers le tourniquet. Elle le bloqua, mais il l'attrapa par l'épaule. Elle leva une main pour lui saisir le poignet ; de l'autre, elle lui agrippa le triceps et l'obligea à lui tourner le dos pour l'empêcher de lui asséner un coup. Ensuite, elle le saisit par la ceinture, passa le pied autour de la cheville et le fit tomber sur le dos. Le choc fut violent. Heat entendit l'air sortir des poumons et lui posa une jambe au-dessus du cou en lui serrant le poignet qu'elle tira vers elle, en un geste qu'un certain ancien membre des SEALs appelait un bras d'acier. Il essaya de se relever, mais se retrouva face à une arme.

— Allez, vas-y…

L'Homme de fer laissa retomber sa tête sur les dalles crasseuses ; la partie était gagnée.

— Ça va pas être terrible, comme citation, dit Rook, sur le trajet du retour au poste.

— Je vous avais dit d'attendre dans la voiture. Vous n'obéissez jamais !

— Je pensais pouvoir vous aider.

— Vous ? (Elle ricana.) Pour meurtrir encore ces pauvres petites côtes toutes fragiles ?

— Vous avez vraiment besoin d'aide. De l'aide d'un écrivain. Vous mettez à terre un personnage pareil, et la seule chose que vous trouvez à dire, c'est « Vas-y » !

— Eh bien ? Qu'est-ce qui ne va pas ?

— Désolé, lieutenant, mais je reste un peu sur ma faim. Un peu comme un tagada sans tsoin-tsoin !

Par-dessus son épaule, il regarda l'Homme de fer menotté à l'arrière, qui regardait une affiche des Flash Dancers sur un taxi.

— Mais quand même un dix pour ne pas avoir ajouté « Fais-moi plaisir[1] ! »

— Tant que vous êtes content, Rook, j'ai fait mon boulot.

Une colonne de lumière fluorescente brisait l'obscurité de la salle d'observation, tandis que Jameson Rook suivait Heat et ses deux équipiers.

— J'ai une idée pour l'auteur de *It's Raining Men*. Vous êtes prêt ? dit Ochoa.

L'humeur était sensiblement plus légère après les arrestations de l'après-midi, en partie parce que le taux d'adrénaline était tombé, en partie parce que l'affaire serait vite résolue si les deux prisonniers étaient coupables.

Rook croisa les bras et sourit.

---

1. Phrase culte prononcée par Clint Eastwood dans le film *Sudden Impact* (*Le Retour de l'inspecteur Harry*) : « Go ahead, make my day. » (NDT)

— Dites toujours.

— Dolly Parton.

— Oh!... gémit Rook. Non, je savais que j'aurais dû placer un billet là-dessus !

— Un indice ? demanda Raley.

— Toujours vivant.

— Un meilleur indice, demanda Ochoa.

Rook, que ça amusait beaucoup, déclara sur le ton d'un animateur télé :

— Cet auteur célèbre est un homme, et vous le voyez tous les jours sur vos écrans...

— Al Roker ? cria Raley.

— Bien vu. Mais non !

— Paul Shaffer [1], dit Heat.

Rook avait du mal à cacher sa surprise.

— C'est ça. Vous avez eu de la chance ou vous le saviez ?

— C'est à vous de deviner.

Elle lui adressa un sourire qui s'évanouit aussi vite qu'il était apparu.

— Et mon prix pour avoir gagné ? Vous attendez dans la salle d'observation pendant que je fais mon travail.

Par habitude, le lieutenant Heat avait séparé les suspects pour l'interrogatoire. Elle les avait isolés pour les empêcher de monter un scénario et de se fournir des alibis. Elle commença par Miric, le bookmaker, qui ressemblait effectivement à un furet. Petit, un mètre soixante, guère

---

1. Paul Shaffer est pianiste et complice de David Letterman depuis 1982 dans l'émission quotidienne *Late Night with David Letterman*, rebaptisée en 1993 *Late Show with David Letterman*, lors du transfert du célèbre animateur télé des studios NBC à ceux de CBS. (NDT)

plus, il avait des bras maigrichons comme ceux de M. Patate. Elle l'avait choisi parce que c'était le seul dont on connaissait le nom et que, si l'on pouvait s'exprimer ainsi, c'était lui le cerveau.

— Miric, c'est polonais, c'est bien ça ?

— Americano-polonais, répondit-il avec le plus léger accent qui soit. Je suis arrivé dans ce pays en 1980, après ce qu'on appelle la grande grève des chantiers navals de Gdansk.

— Qui, « on » ? Vous et Lech Walesa ?

— C'est ça. Solidarnosc…, oui.

— Miric, vous aviez neuf ans !

— Peu importe, c'est dans les gènes…

Moins d'une minute, et Nikki lui avait fait baisser sa garde. Un passe-temps. Une petite conversation amicale pour ne rien dire. Si elle continuait sur ce registre, elle sortirait d'ici quelques heures avec une bonne migraine et sans aucune information. Alors, autant le saucissonner le plus vite possible.

— Vous savez pourquoi on vous a arrêté ?

— C'est comme lorsqu'on vous arrête pour excès de vitesse et que le policier vous demande à quelle vitesse vous rouliez ? Non, je ne crois pas.

— Vous avez déjà été arrêté ?

— Oui, souvent. D'ailleurs, vous avez sûrement la liste, pas vrai ?

Il pointa le nez vers le dossier posé sur la table de métal devant elle et la regarda. Ses yeux étaient si enfoncés et si proches l'un de l'autre qu'ils se croisaient presque. Le traiter de furet, c'était presque lui faire un compliment.

— Que faisiez-vous au Guilford hier?

— Le Guilford de la 77e Rue Ouest? Beau bâtiment! Un vrai palace!

— Qu'est-ce que vous y faisiez?

— J'étais là-bas?

Elle claqua le plat de la main sur la table, et il sursauta. *Bon, il est temps de changer de rythme.*

— On va arrêter les bêtises, Miric. J'ai des témoins oculaires et des photographies. Vous êtes allé chez Matthew Starr avec votre malfrat. Et à présent, il est mort.

— Et vous croyez que j'ai quelque chose à voir avec cette tragédie?

Miric était un personnage fuyant, une véritable anguille, et, d'après son expérience, la cible idéale pour diviser et… régner.

— Je crois que vous pouvez m'être utile, Miric. Vous n'êtes peut-être pas responsable de ce qui est arrivé. Pochenko… s'est montré un peu plus brutal qu'il ne l'aurait fallu lorsque vous êtes allé réclamer votre dû. Ça arrive. Il s'est énervé?

— Je ne vois vraiment pas de quoi vous parlez. C'est vrai, j'avais rendez-vous avec monsieur Matthew Starr. Sinon, on ne m'aurait jamais laissé entrer dans un immeuble aussi luxueux. Mais lorsque j'ai frappé à sa porte, il n'a pas répondu.

— Donc, vous affirmez ne pas avoir vu Matthew Starr, ce jour-là.

— Je ne vois pas pourquoi j'aurais besoin de me répéter. J'ai été parfaitement clair.

Cet homme était passé sur le gril trop souvent, pensa-t-elle. Il connaissait toutes les astuces. Et aucune de ses arrestations précédentes, bien que nombreuses, n'avait trait à la violence. Escroqueries, arnaques, paris illicites…

— Votre acolyte, Pochenko, il vous accompagnait ?

— Le jour où je n'ai pas vu Matthew Starr ? Oui, il était là. Je suppose que vous le savez déjà. Alors, voilà, je vous donne la réponse.

— Pourquoi avez-vous demandé à Pochenko de vous accompagner ? Pour lui montrer le bel immeuble ?

Miric éclata de rire, montrant une rangée de petites dents jaunâtres irrégulières.

— Tiens, c'est rigolo, je m'en resservirai !

— Alors, pourquoi ? Pourquoi emmener une telle armoire à glace ?

— Oh ! vous savez, par les temps qui courent, il y a beaucoup de pickpockets dans les rues. Il m'arrive souvent de transporter de grosses sommes en liquide et on n'est jamais trop prudent, pas vrai ?

— Vous n'êtes pas très convaincant. Je crois que vous mentez.

Miric haussa les épaules.

— Pensez ce que vous voulez. Nous sommes dans un pays libre. Mais je vais vous dire : si vous croyez que j'ai tué Matthew Starr, moi je vous demande pourquoi. Pourquoi l'aurais-je tué ? C'est mauvais pour les affaires. Vous savez quel est le petit nom que je lui donnais ? DAB ! Pourquoi j'aurais tué mon distributeur de billets ?

Il lui avait donné matière à réflexion. Néanmoins, avant de sortir, elle s'arrêta.

— Encore une chose. Montrez-moi vos mains.

Il obéit. Elles étaient propres et pâles, comme s'il avait passé la journée à éplucher des pommes de terre dans une bassine.

Nikki Heat compara ses notes à celles de son équipe, pendant qu'ils allaient chercher Pochenko dans sa cellule.

— Ce Miric, c'est quelque chose, dit Ochoa. On voit des rachitiques comme ça, couverts de sciure dans des cages minuscules, quand on fait la chasse aux dealers de crystal meth.

— Bon, on est tous d'accord pour le profil de furet. Mais à quoi cela nous mène ?

— Je crois que c'est lui.

— Rook, vous dites ça à propos de tous ceux que vous rencontrez. Vous vous souvenez de Kimberly Starr ?

— Mais lui, je ne l'avais jamais vu avant ! À moins que ce soit son Musclor. C'est comme ça que vous les appelez ?

— Ça arrive, dit Raley. Malfrat aussi.

— Ou crapule.

— Crapule, c'est bien. Fumier aussi.

— Sac à viande, continua Ochoa, et les deux policiers se lancèrent dans un concours d'euphémismes.

— Vaurien.

— Gougnafier.

— Fripouille.

— Malotru…

— Musclor, ça colle.

— Restons-en là, accepta Raley.

Rook sortit son carnet Moleskine et un stylo.

— Je vais les noter avant d'oublier.

— Allez-y, je vais interroger le... gibier de potence.

— Vitya Pochenko, vous ne vous êtes pas ennuyé depuis que vous êtes arrivé dans notre pays, dit Nikki Heat en tournant les pages du dossier qu'elle parcourait du regard, comme si elle ne savait pas déjà ce qu'il contenait.

On comptait de nombreuses arrestations pour menaces et violences, mais aucune condamnation. Ou les gens avaient peur de témoigner contre l'Homme de fer, ou ils avaient quitté la ville.

— Vous vous en êtes bien sorti. Souvent. Ou les gens vous adorent, ou vous les terrifiez.

Pochenko regardait droit devant lui, les yeux fixés sur le miroir sans tain. Il ne s'admirait pas comme Barry Gable. Non, il se concentrait sur un point qu'il avait choisi. Il refusait de la regarder, comme si elle ne se trouvait pas dans la pièce. Il semblait profondément perdu dans ses pensées. Il fallait qu'elle inverse cette attitude.

— Votre pote, Miric, il n'a pas peur de vous, lui.

Le Russe ne bougea pas d'un cil.

— Enfin, d'après ce qu'il m'a dit...

Toujours pas de réaction.

— Il m'a raconté deux, trois bricoles intéressantes sur ce que vous avez fait à Matthew Starr au Guilford, avant-hier.

Lentement, il détourna les yeux de son point fixe et lui fit face. Le mouvement révéla des veines protubérantes et des tendons puissants ancrés dans les épaules massives. Il la fixa sous ses épais sourcils roux. Sous cet angle, dans la lumière, il ressemblait à un catcheur, dont le nez bizarrement aplati devait avoir été souvent cassé. Elle pensa qu'il avait dû être assez beau, avant ces mésaventures, avec sa coupe en brosse. Elle l'imaginait sur un terrain de football, ou sur une patinoire de hockey, avant cette violence. Mais, qu'il ait fui la prison en Russie où qu'il apprenne à l'éviter ici, la violence faisait désormais partie du monde de Pochenko ; le jeune homme n'existait plus et ce qu'elle voyait dans cette salle était ce qu'il restait lorsqu'on était très, très, doué pour survivre à des horreurs inimaginables.

Quelque chose proche d'un sourire s'esquissa dans les profonds sillons de la commissure des lèvres, sans se former vraiment. Il finit par parler.

— Dans le métro, quand t'étais sur moi, je sentais ton odeur. Tu sais de quoi je parle ? De ton odeur…

Nikki Heat avait déjà conduit toutes sortes d'interrogatoires, avec les individus les plus retors de la création et même ceux qui étaient trop ravagés pour figurer sur cette liste. Les marioles et les cinglés pensaient que, puisqu'elle était une femme, ils pouvaient l'impressionner avec des propos salaces. Un jour, un tueur en série lui avait demandé de monter avec elle dans le panier à salade, pour qu'il puisse se satisfaire pendant le trajet pour la prison. Elle avait une armure solide. Nikki possédait la qualité suprême de l'enquêteur : la distance. À moins que ce ne soit de l'indifférence. Mais les propos de Pochenko et son petit sourire entendu, cette menace banale, la menace implicite qui se cachait dans les yeux ambrés couleur de résine lui donna des frissons. Elle soutint son regard et essaya de garder ses distances.

— Bon, je vois que vous savez de quoi je parle.

À cet instant, il lui fit un clin d'œil, ce qui la terrifia.

— Ouais, ça va me plaire, dit-il en lui envoyant des baisers mouillés dans l'air.

Nikki entendit alors quelque chose qu'elle n'avait jamais entendu dans la salle d'interrogatoire. Des cris étouffés... Rook, dont la voix était estompée par les vitres insonorisantes, hurlait contre Pochenko. On aurait dit qu'il parlait à travers un oreiller, mais elle comprit les mots « sauvage... sac à merde... salopard... » suivis de martèlements contre la vitre. Heat se tourna dans cette direction. Il était difficile de se montrer nonchalante quand le miroir tremblait et vibrait. Ensuite, on entendit les protestations des Gars et le silence se fit. Le regard hésitant de Pochenko passait de Nikki au miroir. Quoi qu'il ait pu passer dans la tête de linotte de Rook pour qu'il se déchaîne ainsi, il avait réussi à briser la tentative d'intimidation du Russe. Le lieutenant Heat sauta sur l'occasion sans faire de commentaire sur l'incident.

— Montrez-moi vos mains.

— Quoi ? Vous voulez voir mes mains ? Approchez-vous !

Elle se leva, essayant de gagner de la hauteur, de la distance et surtout de l'assurance.

— Mettez vos mains à plat sur la table, Pochenko. Maintenant !

Il décida qu'il choisirait lui-même le moment, mais il n'attendit pas longtemps. Les chaînes du premier poignet qu'il posa sur le métal froid claquèrent contre l'angle de la table, puis les chaînes de l'autre. Ses mains étaient égratignées et gonflées. Quelques articulations étaient couvertes d'hématomes, d'autres n'avaient plus de peau, et les plaies non soignées suintaient. Sur le majeur de la main droite, on voyait une bande de peau blanchie et une coupure. Le genre de marque que laisserait une bague.

— Que vous est-il arrivé ? dit-elle, soulagée d'avoir repris le contrôle.

— Quoi ? Ça ? C'est rien.

— On dirait une coupure.

— Ouais, j'ai oublié d'enlever ma bague avant.

— Avant quoi ?

— L'entraînement.

— À la salle de sport ? Racontez-moi.

— Qui a parlé d'une salle de sport ?

Soudain, la lèvre supérieure se courba, et, instinctivement, Nikki recula d'un pas, jusqu'à ce qu'elle se rende compte qu'il souriait.

Comme le bureau du capitaine Montrose était vide, Nikki Heat fit entrer Rook et ferma la porte de verre.

— Qu'est-ce qui vous a pris ?

— Je sais, je sais, j'ai pété un câble.

— En plein milieu de mon interrogatoire, Rook!

— Vous avez entendu ce qu'il disait!

— Non, je n'ai rien entendu, avec tout le vacarme que vous faisiez derrière le miroir!

Il détourna le regard.

— Ce n'est pas brillant?

— Bon, disons que c'était la première fois. Si on était en Tchétchénie, vous redescendriez de la colline, les pieds devant, à dos de chèvre.

— Ce n'est pas bientôt fini, avec la Tchétchénie? Quelqu'un m'a acheté les droits, et vous, vous en profitez, vous n'arrêtez pas de me bassiner avec ça!

— Dites-moi que vous ne l'aviez pas vu venir.

— Cette fois, peut-être. Je peux dire quelque chose? (Il n'attendit pas la réponse.) Je ne sais pas comment vous pouvez supporter des horreurs pareilles.

— C'est une plaisanterie? C'est mon boulot.

— Mais c'est… dégueulasse!

— La guerre, c'est dégueulasse aussi, d'après ce qu'on m'a dit.

— La guerre, oui. Mais ce n'est qu'une partie de mon travail. Je voyage beaucoup. Je peux me retrouver sur une zone de guerre, ou dans une jeep, avec un capuchon noir sur la tête pour aller visiter un cartel de la drogue, mais ensuite, je passe un mois à Portofino ou à Nice, avec des rock stars et leurs joujoux, ou alors, je couvre une célébrité pendant une semaine à Sedona ou Palm Beach. Mais vous… C'est la zone…

— C'est l'équivalent de : « Qu'est-ce qu'une gentille fille comme vous fait dans un endroit pareil ? » Parce que, dans ce cas, je vais vous donner un bon coup où il faut, et vous verrez si je suis une gentille fille. J'aime mon travail. Je fais ce que je fais, je traite avec les gens avec lesquels je traite et j'ai un bon titre pour votre article, écrivaillon : « Les criminels sont des ordures. »

— En particulier ce malotru.

Elle se mit à rire.

— Je vois que vous avez bien pris vos notes, Rook. On croirait entendre un véritable homme de la rue !

— Oh ! au fait... Pas de chèvres. C'est une erreur répandue. Dans le Caucase, avec le général Yamadayef, il n'y avait que des chevaux. C'est comme ça qu'on se déplaçait.

Lorsqu'il quitta la pièce, elle fut surprise de ne plus être fâchée. Comment se mettre en colère contre quelqu'un qui semblait tenir à vous ?

Une demi-heure plus tard, elle regardait les bandes de surveillance du Guilford avec Raley. Nikki Heat ne semblait pas très contente.

— Retour en arrière, dit-elle. Et observez bien tous les coins de l'écran. On les a peut-être manqués quand ils sont revenus plus tard.

— Qu'est-ce qui ne va pas ? demanda Rook, qui arrivait derrière eux, l'haleine empestant l'expresso de contrebande.

— Ce fichu time code !

Elle tapota son stylo contre l'horloge numérique gris pâle incrustée en bas de la bande.

— On voit Miric et Pochenko qui arrivent à 10 : 31. Ils prennent l'ascenseur, d'accord ? Et ils réapparaissent dans le hall environ vingt minutes plus tard.

— Ça contredit les déclarations de Miric qui prétend que Starr n'a pas répondu, À moins qu'il n'ait frappé pendant vingt minutes d'affilée.

— La seule chose qui a été frappée, c'est Matthew Starr, dit Raley. Ça doit être le moment où Pochenko lui a donné une leçon de boxe.

— Ce n'est pas notre problème. D'après cette bande, nos deux rigolos ont quitté le bâtiment à 10 : 53, deux heures et demie avant que notre victime ait été jetée par le balcon. (Frustrée, elle jeta son stylo sur la table.) Nos deux suspects sont innocentés par la vidéo.

— Et ils ont fait appel à leur avocat, ajouta Ochoa en jetant un coup d'œil à son BlackBerry. On les libère en ce moment.

De l'autre côté de la porte de sécurité, Heat et les Gars regardaient Miric et Pochenko qui reprenaient possession de leurs biens. Bien sûr, c'était Miric qui avait fait appel à l'avocat, et, lorsque ce dernier croisa le regard de Heat, il n'apprécia guère ce qu'il vit et replongea vite fait le nez dans sa paperasse.

— Je suppose que je devrais annuler le mandat pour le jean déchiré dans leur appartement, dit Raley.

— Non. Je sais ce que dit la vidéo, mais il n'y a pas de mal à chercher. Les détails, n'oubliez pas les détails ! On ne regrette jamais d'avoir été trop consciencieux. En fait, ajoutez un objet à la liste : une grosse bague.

Ochoa sortit pour compléter le mandat et elle confia une nouvelle tâche à Raley.

— Je sais que c'est rasoir, mais je veux que vous regardiez la bande après le départ de ces guignols, jusqu'à une demi-heure après la mort de Starr. Et passez-la en temps réel, pour être sûr de ne rien échapper.

Raley retourna à sa corvée. Nikki observait toujours Miric, son avocat et Pochenko qui se dirigeaient vers la sortie. Le Russe s'écarta des deux autres et se dirigea vers Heat. Un agent en uniforme lui barra le chemin, si bien qu'il s'arrêta dans une zone sûre, à un bon mètre d'elle. Il la toisa, en prenant tout son temps, et murmura d'une voix rauque :

— Détends-toi. Ça va te plaire… Oh! finalement, peut-être pas, dit-il en haussant les épaules.

Il sortit sans se retourner. Nikki attendit que la porte se referme et que Pochenko soit de l'autre côté avant de se remettre au travail.

6

Nikki entra dans le bar du dernier étage panoramique de Soho House en se demandant à quoi son amie avait bien pu penser en réservant une table en terrasse par une telle vague de chaleur, surtout sur cette portion de la 9e Avenue. Dans le quartier hyperbranché de Meatpacking, sept heures et demie, c'était carrément ringard, beaucoup trop tôt, même pour un cocktail !

Bien loin de ces préoccupations, installée à une table avec vue sur la rue, en plein soleil, juste à la limite de l'auvent, Lauren Parry la repéra dès son arrivée.

— Il fait trop chaud ? demanda-t-elle à Nikki qui s'asseyait.

— Non, non, ça va. (Elles s'embrassèrent.) Qui pourrait refuser de perdre quelques kilos de sueur ?

— Euh… Désolée. J'ai passé toute la journée à la morgue. J'amasse autant de chaleur que possible.

Elles commandèrent leurs cocktails, un Campari soda pour Nikki qui avait envie de quelque chose de sec, pétillant et surtout glacé.

Son amie opta pour son bloody mary habituel, ironie suprême pour un médecin légiste.

— Tu ne pourrais pas prendre un Sakétini ou un Sex on the Beach, pour changer d'ambiance !

— Eh bien, toi qui parles d'ironie, ce serait encore pire. Dans mon boulot, ton Sexe sur la plage, ça se termine par un cadavre sous la jetée !

— À la vie ! dit Nikki, et elles se mirent à rire toutes les deux.

Ce cocktail après le travail une fois par semaine, c'était plus qu'une histoire de prendre un verre entre collègues. Dès la première autopsie de Lauren, lorsqu'elle était entrée au bureau du légiste trois ans plus tôt, les deux femmes étaient devenues instantanément amies, et leur rituel hebdomadaire était souvent alimenté par leurs liens professionnels. Malgré leurs différences de milieu social – Lauren venait des quartiers défavorisés de Saint Louis et Nikki avait grandi dans la bourgeoisie de Manhattan –, elles se retrouvaient sur d'autres domaines, toutes deux naviguant dans des univers professionnels dominés par les hommes. Bien sûr, Nikki aimait boire une bière de temps à autre dans le bar des flics, juste à côté du poste, mais elle ne faisait pas plus partie de la bande qu'elle ne se retrouvait dans des clubs de broderie ou de philosophie New Age. Toutes deux étaient très attachées à leur camaraderie et à la sécurité que leur apportait la possibilité de se retrouver pour parler de leurs problèmes au travail, souvent stratégiques, décompresser et se laisser aller sans avoir à se mettre sur le marché ou à s'inscrire à un club de tricot.

— On peut parler boutique?

— Hé! ma fille, en plus de me geler les fesses toute la journée, les gens avec lesquels je traîne n'ont guère de conversation ! Alors, tu parles de ce que tu veux !

Elle voulait aborder l'affaire Matthew Starr. Elle dit à Lauren qu'elle comprenait comment la victime avait récolté tous ces hématomes sur le torse. Elle lui résuma les interrogatoires de Miric et Pochenko, qui l'avaient amenée à conclure que le bookmaker avait bien encouragé son Musclor à insister sur l'importance de rembourser ses dettes de jeu. Elle ajouta que, grâce aux avocats et à leur manière de mettre des bâtons dans les roues, il faudrait pas mal de chance pour boucler l'affaire. Elle voulait savoir si Lauren avait relevé des contusions provenant d'un autre incident que la bagarre avec le Russe.

Lauren Parry était un génie. Elle se souvenait de toutes ses autopsies, à la manière dont un Tiger Woods pouvait vous décrire tous les coups joués dans chacun de ses tournois, et ceux de tous ses adversaires. Elle répondit qu'il n'y avait que deux indicateurs significatifs : deux contusions d'une forme très particulière sur le dos du défunt, et leur réplique exacte sur le laiton poli de la poignée des portes-fenêtres du balcon, à travers lesquelles il avait dû être projeté violemment. Heat se rappela que les Gars avaient fait le tour du balcon et mis de la poudre à l'endroit où les poignées avaient heurté le mur.

De plus, Starr avait des marques prouvant qu'on lui avait serré fortement les deux bras. La légiste fit la démonstration dans le vide, en passant un pouce sous des aisselles imaginaires, les mains autour du bras.

— D'après moi, il n'y a pas eu beaucoup de résistance, dit Lauren. Celui qui a fait ça a soulevé la victime, l'a poussée à travers les portes et l'a balancée par le balcon. J'ai bien examiné les jambes et les chevilles, je suis certaine que monsieur Starr n'a pas touché la rambarde en tombant.

— Pas d'éraflures ni de coupures, aucune marque de blessure défensive ?

— Non, mais il y avait quand même une anomalie...

— Je t'écoute, ma grande ! Après les incohérences, les anomalies, ce sont les meilleures amies du policier !

— Je faisais le compte des hématomes, ceux qui montraient une marque de bague, tu vois... Et il y en a un qui ressemblait exactement aux autres..., mais sans la marque de la bague.

— Le coupable l'a peut-être enlevée ?

— En plein milieu d'une bagarre ?

Nikki but une longue gorgée de son verre, sentant les bulles lui chatouiller la langue pendant que, à travers la rambarde de plexiglas, elle observait l'avenue, sept étages en contrebas. Elle ne comprenait pas les implications de ce que Lauren venait de lui dire, mais elle en prit note dans son carnet.

Un coup sans bague.

Elles commandèrent des arancini et des olives, et, lorsque les amuse-bouches arrivèrent, elles étaient passées à d'autres sujets : Lauren allait animer un séminaire en Colombie à l'automne ; sa petite teckel, Lola, avait été sélectionnée pour une publicité de nourriture pour chiens quand elle l'avait emmenée à l'entraînement la semaine précédente. Nikki avait une semaine de congé fin août ; elle pensait la passer en Islande et proposa à Lauren de l'accompagner.

— Il ne fait pas trop froid ? demanda Lauren avant de préciser qu'elle allait y réfléchir.

Le téléphone portable de Nikki se mit à vibrer, et elle regarda l'identité de l'appelant.

— Qu'est-ce qui se passe, lieutenant ? demanda Lauren. Tu vas être obligée de filer ? De descendre en rappel et de te lancer dans la bagarre ?

— Rook, se contenta-t-elle de dire en montrant le téléphone.

— Réponds-lui, ça ne me dérange pas.

— C'est Rook, répéta-t-elle, comme si l'explication se suffisait à elle-même.

— Transfère-le sur le mien, dit Lauren en remuant son bloody mary. Tu pourrais trouver pire que Jameson Rook. Il est mettable !

— Oh ! c'est sûr, j'ai justement besoin de ça ! Ça ne suffit pas qu'il me colle au train toute la journée, tu veux encore me mettre ça sur le dos !

Lorsque le bip lui indiqua qu'il y avait un message vocal, elle pressa sur un bouton pour l'écouter.

— Il dit qu'il a trouvé un truc énorme sur l'affaire Matthew Starr et qu'il aimerait me voir tout de suite.

Elle leva la main devant Lauren en écoutant la suite avant de raccrocher.

117

— Qu'est-ce qu'il y a de si important ?

— Il ne l'a pas précisé. Il m'a dit qu'il ne pouvait pas en parler au téléphone et m'a demandé de passer chez lui. Il a laissé son adresse.

— Tu devrais y aller.

— C'est bien ça qui me fiche la trouille. Tel que je le connais, il a sans doute déjà procédé à l'arrestation citoyenne de tous ceux qui ont rencontré Matthew Starr.

Lorsque l'ascenseur, digne d'un bâtiment industriel, arriva au loft, Rook l'attendait de l'autre côté des portes en accordéon.

— Heat, vous êtes venue !

— Votre message disait que vous aviez quelque chose à me montrer.

— Exact, dit-il en disparaissant derrière le coin du mur. Par ici.

— Elle le suivit dans sa cuisine de designer. De l'autre côté, dans l'espace de vie, comme on appelle ces grandes pièces ouvertes où salon et salle à manger donnent sur la cuisine, elle vit une table de poker, une véritable table de poker, avec un dessus en feutrine. Et, tout autour…, des joueurs de poker. Elle s'immobilisa.

— Rook, vous n'avez rien à m'apprendre sur l'affaire, c'est ça ?

— Ah ! ah ! je reconnais bien là le détective ! dit-il en haussant les épaules et en lui adressant un sourire timide. Vous seriez venue si je vous avais invitée à jouer au poker ?

Elle fut soudain prise d'une envie de faire demi-tour, mais les joueurs de poker se levaient pour la saluer. Elle était coincée.

— Si vous avez vraiment besoin d'une raison professionnelle pour être ici, dit Rook en l'escortant à la table, vous pouvez remercier l'homme qui vous a obtenu le mandat de perquisition pour le Guilford. Monsieur le juge, je vous présente le lieutenant Nikki Heat, de la police de New York.

Le juge Simpson n'était plus le même en polo jaune, caché derrière une grosse pile de jetons.

— Je gagne, dit-il en lui serrant la main.

Une présentatrice du journal télévisé qu'elle idolâtrait, comme une grande partie des téléspectateurs, était présente également, avec son réalisateur de mari.

La présentatrice dit être contente de l'arrivée d'un policier, car elle s'était fait voler !

— Et par un juge ! compléta le mari.

Rook invita Nikki à s'asseoir sur la chaise libre, et, avant qu'elle puisse réagir, le mari bardé d'Oscars lui distribuait des cartes. Les mises étaient faibles, constata-t-elle avec soulagement, avant de s'inquiéter en pensant qu'ils avaient baissé les enjeux par déférence envers son maigre salaire. En fait, ils jouaient surtout pour s'amuser. Même si gagner revêtait une certaine importance, y compris pour le juge. En le voyant sans sa robe pour la première fois, ainsi concentré sur son jeu avec une obsession de maniaque, éclairé par la lumière du plafonnier qui se reflétait sur son crâne chauve, elle ne pouvait s'empêcher de songer à un autre Simpson. Elle aurait fait tapis, rien que pour l'entendre dire : « D'oh ! »

Après la distribution de la troisième donne, les lumières s'éteignirent avant de se rallumer.

— Et voilà, dit Nikki. Le maire avait annoncé qu'on risquait de passer en surcharge.

— Ça va durer combien de temps, cette vague de chaleur ? demanda le réalisateur.

— C'est le quatrième jour, répondit sa femme. J'ai interrogé un météorologue et il m'a dit qu'on ne pouvait pas vraiment parler de canicule tant qu'on ne dépassait pas trente-deux degrés pendant trois jours consécutifs.

Une femme apparut dans la cuisine et ajouta :

— Et si cela dure plus de quatre jours, consultez immédiatement votre médecin !

Le groupe éclata de rire et la femme sortit de derrière le comptoir en faisant un grand salut théâtral, avec un geste ample du bras. Rook lui avait parlé de sa mère. Bien sûr, elle connaissait déjà Margaret. On ne gagne pas des Tony Awards et on ne voit pas sa photographie publiée dans la rubrique people de *Style* et *Vanity Fair* aussi souvent en restant incognito ! À la soixantaine, à présent, Margaret était passée des rôles d'ingénues à ceux de grandes dames (bien que Rook ait un jour confié à Nikki que, dans son cas, il vaudrait mieux écrire « Grand Dam ». De sa première réplique à son entrée majestueuse dans la pièce où elle vint serrer la main de Nikki en lui disant tout le bien que Jamie pensait d'elle, elle avait tout de la joyeuse diva.

— Il m'a beaucoup parlé de vous, répondit Nikki.

— Vous pouvez croire tout ce qu'il vous raconte, et si ce n'est pas vrai, quand j'irai en enfer, je démêlerai cette histoire !

Ensuite, elle retourna... Non, mieux : elle vogua vers la cuisine.

Rook adressa un sourire à Nikki.

— Comme vous voyez, je n'ai pas fait de publicité mensongère !

— Je m'en rends compte.

Elle entendit des glaçons tinter dans un verre et vit Margaret qui débouchait une bouteille de Jameson. *Oui, je me rends compte de beaucoup de choses, Jameson Rook.*

La présentatrice en appela au sens civique de Rook qui coupa la climatisation. Nikki leva le nez de son jeu et suivit du regard le short et le t-shirt U2 en 3D tandis que Rook traversait le tapis oriental pieds nus. Il se pencha pour ouvrir la fenêtre de son appartement panoramique, avec vue sur Tribeca. En balayant le paysage du regard, elle aperçut la masse d'un lointain bâtiment, le River Starr, sur la rive de l'Hudson, éclairé à contre-jour par les lumières de Jersey. La structure était noire, à l'exception de la rampe d'aviation en haut d'une grue oisive, au-dessus de poutres qui attendaient les charges. Elles attendraient encore longtemps.

Margaret s'installa sur la chaise de son fils, à côté de Nikki.

— La vue est magnifique ! dit-elle.

Puis, lorsque Rook se pencha pour ouvrir l'autre fenêtre, la doyenne murmura :

— Je suis sa mère et je trouve quand même que c'est une belle vue ! Mais c'est à moi qu'en revient tout le mérite !

Au cas où elle ne se serait pas fait comprendre, elle précisa :

— Jamie a les mêmes fesses que moi. J'ai eu une critique merveilleuse dans *Oh! Calcutta!*

Deux heures plus tard, après que Rook, la présentatrice, puis le mari se furent couchés, Nikki gagna une nouvelle main contre le juge. Simpson prétendit que peu lui importait, mais, à en juger à son expression, Nikki était contente d'avoir obtenu son injonction avant la partie de poker.

— Je suppose que les cartes ne m'abandonnent pas ce soir sans bonne raison.

Elle avait de plus en plus envie de l'entendre dire : « D'oh! »

— Ce ne sont pas les cartes, Horace, dit Rook. Pour une fois à cette table, quelqu'un est capable de déchiffrer vos annonces.

Il s'approcha du comptoir pour sortir une tranche de pizza tiède de la boîte et prit une autre canette de Fat Tire dans la glace pilée de l'évier.

— Pour moi, ce soir, tu as gardé ton visage de joueur de poker. Je n'arrive toujours pas à lire derrière ce masque judiciaire taciturne. Tu peux bluffer tant que tu veux…, mais elle, elle a pigé!

Rook revint à sa place et Nikki se demanda si le coup de la pizza et de la bière, ce n'était pas qu'un truc pour rapprocher son siège du sien.

— Mon visage ne me trahit pas, dit le juge.

— La question n'est pas de se trahir… Le problème, c'est ce qu'elle devine, dit Rook. Cela fait des semaines que je la côtoie, à présent, et je crois n'avoir jamais connu quelqu'un qui soit aussi doué pour percer les gens.

Il soutint son regard et, même s'ils étaient loin d'avoir le souffle l'un dans l'autre, comme sur le balcon de Starr, elle se sentit rougir. Elle se détourna pour voir le pot, se demandant quel jeu elle jouait et, bien entendu, ce n'était pas au poker qu'elle pensait !

— Je crois que c'est bon pour ce soir, dit-elle.

Rook insista pour la raccompagner sur le trottoir, mais Nikki s'attarda jusqu'à ce qu'elle soit prise par la dynamique du départ des autres invités, pour éviter une trop grande proximité. Le groupe lui semblait constituer une parade idéale. Parce qu'en fait, réfléchit-elle en descendant, elle n'avait pas tant envie d'être seule que de ne pas être accompagnée par lui. Pas ce soir.

La présentatrice et son mari habitaient à quelques minutes de marche, et ils sortirent au moment où Simpson hélait un taxi. Le juge, qui résidait près du musée Guggenheim, proposa à Nikki de partager la course. Elle se demanda si elle préférait laisser Rook planté comme un idiot sur le trottoir ou affronter la gêne des au revoir, ou, pire encore, la remontée dans l'appartement, et elle accepta.

— J'espère que vous ne m'en voulez pas de vous avoir piégée, dit Rook.

— Pourquoi vous en vouloir ? J'ai misé sur le bon cheval !

Elle glissa sur la banquette pour laisser de la place à Simpson. Dix minutes plus tard, elle ouvrait la porte de son appartement de Gramercy Park en rêvant d'un bon bain.

Personne ne pouvait accuser Nikki de se laisser aller à des petits plaisirs. « Gratification tardive » était une expression qui lui venait souvent à l'esprit, surtout lorsqu'elle voulait faire taire la bouffée de colère qu'elle ressentait vis-à-vis de ce qu'elle faisait et qui l'empêchait de faire ce dont elle avait envie. Ou lorsqu'elle voyait les antres le faire.

En faisant couler le robinet à fond pour dynamiser son bain moussant, l'un de ses rares petits plaisirs, elle repensa aux routes qu'elle n'avait pas empruntées. Le Connecticut, un petit jardin, une réunion de parents d'élèves, un mari qui prenait le train pour Manhattan, le temps et les ressources nécessaires pour s'offrir parfois un massage ou un cours de yoga.

Un cours de yoga, et non des entraînements de close-combat... Nikki essaya de s'imaginer au lit, avec un avocat replet et une barbe à la Johnny Depp, avec un sticker « bébé à bord » sur la vieille Saab rouillée. Elle pouvait trouver pire que Johnny Depp... D'ailleurs, cela lui était arrivé. Deux ou trois fois pendant la soirée, elle avait songé à appeler Don, mais n'en avait rien fait. Pourquoi ? Elle avait pourtant envie de lui parler de la clé magistrale qu'elle avait infligée à Pochenko dans le métro. Rapide et facile... Asseyez-vous, monsieur... Mais ce n'était pas pour cela qu'elle voulait lui téléphoner, elle le savait.

Alors, pourquoi ne pas appeler ?

C'était un arrangement à l'amiable. Son entraîneur ne lui demandait jamais où elle était ni quand elle reviendrait, ni pourquoi elle n'appelait pas. Chez elle, chez lui, peu importait. C'était une question de logistique, cela dépendait de qui était le plus près. Il ne cherchait ni à s'installer ni à fuir.

Et leur relation sexuelle était harmonieuse. De temps en temps, il se montrait un peu trop agressif, ou un peu trop laborieux, mais elle savait s'en accommoder et obtenait ce qu'elle voulait. En quoi était-ce différent de la vie des banlieusards, des Noah Paxton du monde entier ? L'histoire avec Don n'était pas la panacée, mais cela fonctionnait bien.

Alors, pourquoi ne pas appeler ?

Elle ferma le robinet lorsque les bulles lui montèrent jusqu'au menton et inspira les odeurs de son enfance. Nikki songeait aux attentes, essayait d'imaginer ce que serait une vie où on atteignait ses objectifs, au lieu de satisfaire des besoins ; elle se demandait ce qu'elle deviendrait, disons dans onze ans, lorsqu'elle aurait quarante ans. Autrefois, cela lui paraissait loin, mais ces dix dernières années – les dix ans qu'elle avait mis à réorganiser sa vie après la mort de sa mère – étaient passées à la vitesse d'un magnéto réglé sur avancé rapide. Était-ce le manque de charme ?

Elle avait réussi à convaincre sa mère et avait pris Arts de la scène comme matière principale pour finir à l'école de police. Elle se demandait si, sans s'en rendre compte, elle devenait trop dure pour être heureuse. Elle savait qu'elle riait plus rarement et jugeait plus souvent.

Qu'avait dit Rook à la table de poker ? Qu'elle était douée pour percer les gens. Ce n'était pas ce qu'elle voulait voir écrit sur sa tombe.

Rook.

Bon, d'accord, j'ai regardé son cul, pensa-t-elle. Soudain, la rougeur revint. Sans doute parce qu'elle était gênée d'avoir été transparente au point de s'être fait démasquer par Grand Dam. Nikki s'immergea dans les bulles et retint sa respiration jusqu'à ce que sa rougeur se perde dans celle du manque d'oxygène.

Elle resurgit à la surface, passa la paume de sa main sur son visage et ses cheveux, et flotta, légère, dans l'eau qui refroidissait en laissant dériver ses pensées sur ce que serait la vie avec un Jameson Rook. Que ressentirait-elle en le touchant, le goûtant ? À quoi ressembleraient ses mouvements ? De nouveau, elle rougit. Comment serait-elle avec lui ? Ça la rendait nerveuse. Elle n'en savait rien.

C'était un mystère.

Elle vida la baignoire et en sortit.

Nikki avait coupé la climatisation et se promena nue dans son appartement sans prendre la peine de s'essuyer. Les bulles du bain lui avaient laissé une impression agréable sur la peau.

D'ailleurs, une fois sèche, elle serait trempée de sueur en un rien de temps dans cette atmosphère humide ; alors, pourquoi ne pas rester mouillée et sentir bon la lavande ?

Seules deux de ses fenêtres avaient un vis-à-vis et, comme il n'y avait pas de brise à laisser entrer, elle tira les rideaux et se tourna vers le placard de la cuisine. La recette miracle pour gagner du temps… et économiser de l'argent, de

Nikki Heat, c'était de repasser ses vêtements la veille au soir. Rien ne déroutait plus les escrocs que les plis bien marqués et les tissus amidonnés. Elle sortit la planche et brancha le fer.

Elle n'avait pas forcé sur l'alcool ; néanmoins, le peu qu'elle avait bu lui avait donné soif. Elle trouva une dernière canette d'eau gazeuse citronnée dans le réfrigérateur. Ce n'était guère écologique, mais elle laissa la porte ouverte et s'approcha pour sentir sur sa peau nue la cascade d'air frais, qui lui donnait la chair de poule.

Un petit clic la fit se retourner. Le voyant rouge s'était allumé, indiquant que le fer était prêt. Elle posa sa canette sur le comptoir et se précipita vers son placard pour trouver quelque chose de propre et, surtout, de supportable.

Son blazer de lin marine n'avait besoin que d'une petite retouche. En remontant le couloir, elle remarqua qu'il manquait un bouton sur la manche droite. Elle marqua une pause, se demandant si elle en avait un de rechange.

Puis, elle entendit la canette s'ouvrir dans la cuisine.

7

Immobile dans le couloir, Nikki se dit qu'elle avait dû rêver. De trop fréquentes visualisations du meurtre de sa mère avaient définitivement ancré ce son dans sa tête. Combien de fois ce sifflement l'avait sortie de ses cauchemars ou fait sursauter en salle de repos ? Non, elle n'avait rien entendu !

Ce fut ce qu'elle se dit pendant les secondes interminables au cours desquelles elle resta figée, les lèvres tremblantes, nue comme un ver, tendant l'oreille pour distinguer les bruits infimes dans le tintamarre de la nuit new-yorkaise et de ses propres battements de cœur.

Elle avait mal au doigt à force de serrer le bouton cassé. Elle relâcha la pression sans laisser tomber le blazer, de peur que le bruit ne la trahisse.

Aux oreilles de qui ?

Réfléchis un instant ! Reste tranquille, immobile comme une statue, compte jusqu'à soixante et ce sera fini.

Elle se maudit d'être nue, car cela la rendait encore plus vulnérable. Un bain moussant, et voilà...

Arrête, concentre-toi. Concentre-toi et écoute tous les bruits de la nuit. Ce n'était peut-être qu'un voisin. Combien de fois les avait-elle entendus faire l'amour, tousser, empiler la vaisselle, s'immiscer dans sa vie à elle, par les fenêtres ouvertes.

Les fenêtres. Elles étaient ouvertes.

À une seule fraction de seconde de sa minute, elle souleva un pied nu du tapis et l'approcha un peu plus près de la cuisine.

Rien.

Nikki hasarda un autre pas au ralenti. Elle avait encore le pied en l'air lorsqu'elle vit une ombre se mouvoir sur la bande de plancher qu'elle entrevoyait. Elle n'hésita pas une seule seconde. Elle bondit.

En passant de l'autre côté de la porte de la cuisine pour aller au salon, Nikki appuya sur l'interrupteur, pour éteindre la seule lampe allumée, et plongea sous son bureau. Sa main glissa à l'intérieur du grand vase toscan, qui ornait l'angle du fond. Il était vide.

— C'est ça que tu cherches?

Pochenko remplissait tout l'encadrement de la porte, l'arme non officielle de Nikki à la main. Dans le contre-jour de l'éclairage de la cuisine, on ne distinguait que sa silhouette, néanmoins, elle voyait que le Sig Sauer était toujours dans son étui, comme si cette brute arrogante n'en avait pas besoin, du moins, pas pour l'instant. Confrontée à la réalité, elle fit ce qu'elle faisait toujours, elle repoussa sa peur et fit appel à son sens pratique. Elle passa les différentes options en revue. Un : elle pouvait crier. Les fenêtres étaient ouvertes, mais il risquait de tirer, même si, pour l'instant, il ne semblait pas vouloir le faire. Deux : trouver une arme. Son arme de secours était dans son sac à main dans la cuisine ou la chambre, elle ne savait plus très bien. Trois : gagner du temps. Elle devrait dénicher une arme improvisée, s'échapper ou trouver un moyen de le faire sortir. Si elle avait été en situation d'otage, elle aurait engagé la conversation. Humaniser les rapports, ralentir l'horloge…

— Comment m'avez-vous trouvée ?

Ouf, à sa propre oreille du moins, elle ne semblait pas trahir sa peur.

— Parce que vous vous imaginez être la seule à savoir filer quelqu'un ?

Nikki fit un petit pas en arrière pour l'attirer à l'intérieur de la pièce et l'éloigner du couloir. Elle repensa à tous les endroits où elle était passée en quittant le commissariat. Soho House, chez Rook… et frémit en pensant que cet homme avait surveillé le moindre de ses pas.

— C'est facile de suivre quelqu'un qui ne se méfie pas. Vous devriez le savoir.

— Et vous, comment vous le savez ? (Elle recula encore d'un pas. Cette fois, il avança d'autant.) Vous étiez flic en Russie ?

Pochenko éclata de rire.

— Si on veut. Mais pas pour la police. Hé ! restez où vous êtes !

Il sortit le Sig de l'étui qu'il jeta comme un vulgaire papier.

— Je n'ai pas envie d'être obligé de tirer… Pas avant d'avoir fini.

Il aimait bousculer les règles du jeu, pensat-elle, se préparant au pire. Nikki avait reproduit la manœuvre de désarmement d'un adversaire des milliers de fois, mais toujours avec un instructeur ou un partenaire. Néanmoins, elle se considérait comme une athlète, bien entraînée, et elle avait répété les gestes moins de quinze jours plus tôt. Tout en visualisant les mouvements, elle continua à parler.

— Vous avez du toupet de venir ici, sans votre arme.

— J'en ai pas besoin. Tu m'as piégé cet après-midi. Ce soir, ce sera pas la même chanson.

Il tendit la main vers l'interrupteur. Cette fois, elle avança d'un pas vers lui. Lorsque la lumière s'alluma, il la regarda.

— Beau spectacle! dit-il en prenant bien soin de la toiser.

Paradoxalement, Nikki s'était sentie plus violée dans la salle d'interrogatoire, alors qu'elle était encore tout habillée. Cependant, elle croisa les bras devant sa poitrine.

— Cache tout ce que tu veux. Je t'ai dit que je t'aurai, et je rigole pas.

Heat resta de marbre. Pochenko tenait l'arme et il était beaucoup plus fort qu'elle. Il avait aussi la taille adéquate, mais elle avait pu se rendre compte dans le métro qu'il n'était pas très rapide. Il avait l'arme…

— Viens ici, dit-il en avançant d'un pas.

La phase de conversation était terminée. Elle hésita et fit un pas vers lui. Elle entendait battre son cœur qui tambourinait. Elle avait l'impression de se trouver sur un haut plongeoir, prête à faire le grand saut, ce qui augmentait encore ses pulsations. Elle se souvenait d'un policier en uniforme qui avait raté son coup l'année précédente et y avait laissé la moitié du visage. Nikki décida que ces pensées ne l'aidaient pas et se concentra encore sur la visualisation de ses mouvements.

— Salope, quand je te dis d'approcher, tu te ramènes ! dit-il en braquant son arme vers ses seins.

Levant les mains, en geste de soumission, les faisant légèrement trembler, pour que leurs petits mouvements détournent l'attention du grand qu'elle préparait, elle avança du pas qu'il demandait et dont elle avait besoin. Et il faudrait agir en un éclair.

— Ne tirez pas, je vous en prie… Ne tirez…

En un geste fluide et rapide, elle leva la main gauche, la serra autour de l'arme, bloqua le chien avec le pouce pendant qu'elle la repoussait et se glissait contre lui, sur la droite. Elle passa un pied entre les siens et lui donna un coup d'épaule dans le bras tout en levant le pistolet et en effectuant un mouvement de torsion. Au moment où elle pointait l'arme contre lui, elle entendit le pouce se briser derrière la détente, et il se mit à hurler.

La suite tourna mal. Elle essaya de lui arracher l'arme, mais le doigt cassé restait coincé et, lorsqu'elle finit par le dégager, le revolver avait une telle force d'inertie qu'il lui tomba des mains et glissa sur le tapis. Pochenko attrapa Nikki par les cheveux et la balança dans le vestibule. Elle essaya de se redresser sur ses pieds et de se ruer vers la porte d'entrée, mais il se jeta sur elle. Il la prit par le bras, ne réussit pas à la retenir. Il avait les mains moites de sueur et elle était encore luisante après son bain moussant. Nikki s'échappa de son étreinte, se retourna et lui flanqua le talon de sa main libre dans le nez. Elle entendit un craquement, et il se mit à jurer en russe. Tournoyant sur elle-même, elle lui donna un coup de pied dans la poitrine, le repoussant dans le salon. Hélas, il avait déjà les mains sur les deux filets de sang qui coulaient de son nez et le coup fut bloqué par les avant-bras. Lorsqu'il tendit les bras vers elle, elle lui assena deux rapides du gauche dans le nez, et, pendant qu'il encaissait le choc, elle se retourna pour ouvrir les verrous de sa porte d'entrée et hurla : « Au feu ! Au feu ! Appelez le 911 ! » Le meilleur moyen de provoquer un réflexe citoyen, malheureusement.

Le boxeur qui dormait en Pochenko se réveilla. Il lui donna un coup de poing dans le dos qui la plaqua contre la porte. Nikki avait l'avantage de la vitesse et elle s'en servit. Elle plongea, si bien que le coup suivant, un direct du gauche qui visait la tête, s'enfonça dans le bois.

Pendant qu'elle était à terre, elle se faufila entre ses chevilles, balayant ses jambes sous lui et l'envoyant contre la porte, face la première.

Pendant qu'il était au tapis, elle se précipita au salon et chercha son arme. Le pistolet avait rebondi sous le bureau et le temps qu'il lui fallut pour le retrouver était visiblement trop long. Au moment où Nikki se penchait, le gros ours de Pochenko l'attrapa par-derrière, la soulevant et lui écrasant les poumons.

— Tu es à moi, maintenant, salope, lui souffla-t-il à l'oreille.

Pochenko l'emporta dans le couloir qui menait à la chambre, mais Nikki n'avait pas renoncé. Près de la porte qui ouvrait sur la cuisine, elle déploya ses jambes et ses bras et s'accrocha aux montants. C'était un peu comme si elle avait serré les freins, et, tandis que la tête de Pochenko tombait en avant, elle jeta la sienne en arrière et ressentit une profonde douleur, provoquée par la dent qui se cassait à l'arrière de son crâne.

De nouveau, il jura, la projeta sur le sol de la cuisine et s'allongea sur elle, la bloquant de tout son poids. C'était la situation la plus cauchemardesque : être écrasée par ce poids… Nikki se tortillait et s'agitait.

Cependant, il avait à présent la force de gravité de son côté. Il lui relâcha le poignet gauche pour libérer sa main intacte et pouvoir la serrer autour de la gorge. De sa main libre, Nikki repoussa son menton, mais il ne bougea pas. Il lui serrait toujours la gorge. Le sang qui coulait du nez lui mouillait le visage. Elle tourna la tête sur le côté et tenta de le frapper de la main droite. Mais les doigts qui l'étouffaient lui ôtaient toute force.

Sa vision périphérique commença à se brouiller. Au-dessus d'elle, le visage déterminé de Pochenko commençait à se voiler derrière un écran de petites étoiles filantes. Prenant tout son temps, il s'amusait à la voir lentement manquer d'oxygène, à la sentir s'affaiblir, ralentir.

Nikki tourna la tête sur le côté pour ne pas le regarder. Elle repensa à sa mère, assassinée dans cette même pièce, à moins d'un mètre de là, qui murmurait son nom. Tandis que l'obscurité s'installait peu à peu, Nikki trouvait bien triste de n'avoir aucun nom à invoquer.

Ce fut à cet instant qu'elle vit le fil.

Les poumons brûlés, à bout de forces, Nikki tenta d'attraper le câble qui pendait. Après deux essais infructueux, elle tira dessus et le fer tomba de la planche.

Si Pochenko s'en aperçut, il ne le montra pas et aurait sans doute considéré ce geste comme le dernier sursaut d'orgueil de cette salope.

Pourtant, lorsqu'il sentit la semelle brûlante sur sa joue, il poussa un hurlement d'animal que Nikki n'avait jamais entendu. La main relâcha son étreinte autour du cou, et la première bouffée que Nikki inspira avait une forte odeur de cochon brûlé. De nouveau, elle leva le fer, avec un geste ample. L'extrémité brûlante toucha l'œil gauche. Pochenko hurla de nouveau et, cette fois, son cri se mêla au bruit des sirènes qui se rapprochaient.

La main sur le visage, Pochenko se releva, chancela vers la cuisine et se cogna contre le chambranle. Il reprit ses esprits et s'enfuit. Lorsque Nikki, un peu remise, arriva au salon, elle entendit les pas lourds qui résonnaient dans l'escalier de secours et montaient vers le toit.

Heat attrapa son Sig et grimpa les marches de métal, mais il avait trop d'avance. Les lumières clignotantes se reflétaient déjà sur la façade de son immeuble, et un autre véhicule de secours arrivait au carrefour de la 3e Avenue, toutes sirènes hurlantes. Soudain, elle se rappela qu'elle n'avait pas de vêtements et qu'elle ferait mieux de redescendre s'habiller un peu.

Le lendemain, lorsqu'elle entra dans son bureau de verre après la réunion avec le capitaine, Rook et les Gars l'attendaient. Adossé à sa chaise, Ochoa avait les pieds croisés sur le bureau.

— Hier soir, j'ai regardé les Yankees qui gagnaient et j'ai baisé avec ma femme. Quelqu'un dit mieux?

— Pas moi, répondit Raley.

— Et vous, lieutenant Heat?

Elle haussa les épaules et joua le jeu.

— Oh! une petite partie de poker et un peu de boxe à la maison. Rien d'aussi génial que vous, Ochoa. Votre femme fait encore l'amour avec vous?

De l'humour de flic, rude, avec quelques touches d'affection.

— Oh! je vois, dit Rook. C'est comme ça que vous réagissez? On essaie de vous zigouiller? Pouh, même pas mal!

— Bof, on s'en fiche. C'est une grande fille, dit Ochoa.

Les flics se mirent à rire.

— Notez ça pour vos recherches, l'écrivain!

Rook s'approcha de Heat.

— Je suis étonné de vous voir ce matin.

— Pourquoi ? C'est ici que je travaille. Ce n'est pas en restant chez moi que je vais attraper les coupables.

— Ça, c'est sûr.

— Tu devrais l'afficher, dit Raley à son équipier.

— Merci de ne pas me féliciter, les gars.

Même si tout le commissariat et presque tous les flics des cinq districts étaient au courant de l'agression dans son appartement, Nikki leur fit un bref récit des événements, et ils écoutèrent attentivement, le visage grave.

— C'est gonflé, dit Rook. Venir s'attaquer à un flic. Chez elle, en plus. Ce type doit être un psychopathe. Je m'en doutais déjà, hier.

— À moins…, dit-elle, décidant de partager l'impression qu'elle avait éprouvée en voyant Pochenko dans son salon, l'arme qu'elle conservait chez elle à la main. À moins que quelqu'un l'ait envoyé pour se débarrasser de moi. Qui sait ?

— On l'aura, ce fumier ! dit Raley. Il va le regretter.

— Et pas qu'un peu ! Et puis on a prévenu tous les hôpitaux pour qu'ils nous signalent les patients au visage mal repassé.

— Le capitaine m'a dit que vous étiez allé réveiller Miric de bonne heure.

— Ouais, dès potron-minet ! Il dort en chemise de nuit, ce con !

Il hocha la tête en repensant au spectacle et continua.

— Miric prétend ne pas avoir eu de contact avec Pochenko depuis qu'on les a relâchés hier. On l'a mis sous surveillance et son téléphone est sur écoute.

— On surveille aussi les allées et venues. Et on a les jeans de Miric et de Pochenko au labo, maintenant. Le Russe a quelques déchirures prometteuses sur le genou, mais il est difficile de savoir si c'est une question de mode ou pas. Le labo le dira.

Nikki sourit.

— Pour couronner le tout, j'ai une correspondance pour les marques sur les bras de Starr.

Elle ouvrit son col et leur montra les ecchymoses rouges sur son cou.

— Je le savais, je savais que c'était Pochenko qui l'avait balancé par le balcon!

— Pour une fois, Rook, vous avez peut-être raison, mais ne nous emballons pas. Quand on commence à fermer les portes aussi tôt dans une enquête, il y a des choses qui nous échappent, dit Nikki. Les Gars, faites la liste de tous les cambriolages de la soirée. Si Pochenko est en cavale et qu'il ne peut pas rentrer chez lui, il improvisera. Faites particulièrement attention aux pharmacies et aux parapharmacies. Il n'est pas allé aux urgences; il essaie peut-être de se soigner tout seul.

Une fois les Gars sur le terrain, Nikki téléchargea le rapport du légiste, et le sergent de service lui apporta un paquet qu'on venait de lui livrer, une boîte plate et lourde comme un miroir de vestibule.

139

— Je n'ai rien commandé.

— Cela vient peut-être d'un admirateur, dit le sergent. C'est peut-être du caviar russe, ajouta-t-il, sérieux comme un pape, avant de partir.

— Sont pas particulièrement sentimentaux, vos gars, dit Rook.

— Encore heureux! Cela vient de la boutique du Metropolitan Museum, dit-elle en regardant l'étiquette.

Elle prit des ciseaux, coupa les ficelles et regarda à l'intérieur.

— C'est un cadre...

Nikki le sortit de sa boîte et découvrit ce qu'elle contenait... Et toute la noirceur qui pesait sur la matinée s'évapora sous la lumière dorée qui illuminait son visage où se reflétaient les deux fillettes en robes à rubans qui allumaient des lanternes dans le merveilleux jardin de *Carnation, Lily, Lily, Rose*.

Elle contempla le tableau et se tourna vers Rook qui la regardait, le front plissé.

— Il devrait y avoir une carte quelque part... Elle dit : « Devinez qui? » D'ailleurs, vous feriez mieux de deviner que c'est moi, sinon, je serai furieux d'avoir insisté pour qu'on la livre en urgence.

— C'est vraiment...

— Je sais, je l'ai vu sur votre visage hier, chez Starr. Quand je l'ai commandée, je ne savais pas que ce serait un cadeau de conval... ou plutôt de « Je suis content que vous ne vous soyez pas fait tuer, hier soir ».

Elle se mit à rire et se tourna pour qu'il ne voie pas le léger tremblement de sa lèvre inférieure.

140

— Je suis un peu éblouie, sous cette lumière...
Mais il ne vit que son dos.

À midi, elle passa la bandoulière de son sac
sur son épaule et, lorsque Rook se leva, elle lui
dit d'aller manger seul, car elle avait besoin de
solitude. Il répliqua qu'elle avait besoin d'une
protection.

— Je suis flic, c'est moi, ma protection.

Comprenant sa détermination, pour une fois,
il ne discuta pas. En route pour Midtown, Nikki
se sentit coupable de l'avoir ainsi rabroué. Il
l'avait invitée à sa table de poker et lui avait offert
un présent.

Bien sûr, il commettait des bévues, parfois,
quand il l'accompagnait, mais c'était différent.
C'était peut-être l'épreuve de la nuit et la fatigue
qu'elle se trimballait... Non, c'était faux... Quel
que fût l'enfer que Nikki Heat traversait, cet
enfer avait besoin d'espace.

— Désolé pour le désordre, dit Noah Paxton.
(Il jeta les reliefs de sa salade composée dans la
poubelle et essuya son buvard avec une serviette.) Je ne vous attendais pas.

— Je passais dans le coin, répondit Heat.

Peu importait qu'il sache qu'elle mentait.
D'après son expérience, aller voir les témoins à
l'improviste donnait des résultats inattendus.
La garde baissée, les gens se montraient moins
prudents et elle en apprenait plus. Elle voulait
obtenir deux ou trois choses de lui et surtout
observer sa réaction lorsqu'il reverrait les photos
du Guilford.

— Il y en a de nouvelles?

— Non, dit-elle en disposant la dernière en face de lui. Vous êtes certain de ne reconnaître personne? dit Nikki d'un ton aussi dégagé que possible, mais lui demander une confirmation lui mettait déjà assez de pression.

Elle voulait savoir si Kimberly avait dit vrai en expliquant pourquoi il n'avait pas identifié Miric. Comme la veille, Paxton examina méthodiquement toutes les photos et confirma ne reconnaître personne. Nikki ramassa toutes les photos, sauf deux : celles de Miric et Pochenko.

— Cela ne vous dit rien?

— Désolé, dit-il en haussant les épaules. Non. Qui est-ce?

— Deux témoins intéressants, c'est tout.

Le lieutenant Heat était là pour obtenir des réponses, pas pour en donner, à moins qu'elle ne puisse tirer avantage de cette tactique.

— Je voulais aussi vous poser des questions sur les pratiques de joueur de Matthew. Comment payait-il les bookmakers?

— En liquide.

— Avec l'argent que vous lui donniez?

— Oui, avec son argent.

— Et quand il avait des dettes, comment il les remboursait?

— De la même manière. En liquide.

— Est-ce qu'ils venaient vous voir, vous, les bookmakers?

— Ah non! J'ai été très clair avec ça. S'il voulait traiter avec ce genre de personnages, c'était son affaire. Je ne voulais pas qu'ils mettent le nez ici. Pas de ça! dit-il, tremblant avec emphase!

Elle l'avait poussé dans ses derniers retranchements, mais il avait répondu. Les propos de Kimberly se confirmaient.

Elle lui posa des questions sur Morgan Donnelly, la femme dont Kimberly lui avait parlé, celle de la lettre interceptée. Paxton confirma que Donnelly avait bien travaillé ici. C'était l'une de leurs meilleurs cadres du marketing.

Il dit aussi que Matthew et Donnelly avaient eu une liaison, ce qui n'était un secret pour personne, car tout le personnel parlait de Matthew et Morgan comme des deux M... Morgan s'était aussi attiré quelques surnoms personnels, dont les plus courants étaient Propriété privée, et Championne du chef.

— Encore une chose et je vous libère. J'ai eu le rapport de nos experts-comptables ce matin, dit-elle en sortant un dossier de son sac et en observant le regard qui s'assombrissait. Ils m'ont dit que vous n'aviez rien d'un Bernard Madoff, ce dont je dois m'assurer.

— C'est logique...

Le ton était assez nonchalant, mais la policière savait reconnaître la culpabilité lorsqu'elle la voyait, et tout le visage de Paxton la transpirait.

— Il y a une petite anomalie dans vos comptes, dit-elle en lui tendant la page avec un tableau et un compte rendu.

— Oui?

Il reposa la page.

— Mon avocat me conseillerait de ne pas répondre.

143

— Vous avez l'impression d'avoir besoin d'un avocat, monsieur Paxton?

Il voyait l'étau se resserrer sur lui.

— C'est ma seule brèche à l'éthique... Pendant toutes ces années...

Nikki le regardait et attendait. Rien n'était plus assourdissant que le silence.

— J'ai caché de l'argent. J'ai créé une série de fausses transactions pour transférer de grosses sommes sur un compte personnel. J'ai caché une partie des fonds privés de Matthew Starr pour l'éducation de son fils. Je voyais à quel point l'argent filait vite, les paris, les putes... Je ne suis qu'un employé, mais cela me rendait malade de voir ce qui allait arriver à cette famille. Pour leur propre bien, j'ai caché de l'argent afin que Matty Junior puisse aller à l'université. Matthew s'en est aperçu, comme les ivrognes qui retrouvent toujours les bouteilles, et il a tout siphonné. Kimberly est presque aussi terrible que lui. Je suppose que vous savez déjà à quel point elle est dépensière.

— C'est l'impression qu'elle me donne.

— La garde-robe, les bijoux, les vacances, les voitures, la chirurgie esthétique. Elle aussi, elle cachait de l'argent. Bien sûr, je m'en suis aperçu. Comme vos experts... Les chiffres parlent quand on sait ce qu'on cherche. Elle avait une garçonnière..., un petit deux-pièces sur Columbus Avenue. Je lui ai dit de s'en séparer et, quand elle m'a demandé pourquoi, je lui ai répondu qu'ils étaient fauchés.

— Comment a-t-elle réagi?

— Dire qu'elle était dévastée, ce serait encore trop faible. Elle était anéantie.

— Et quand lui avez-vous annoncé tout cela ?

Il regarda le calendrier sous le verre de son bureau.

— Il y a dix jours.

Heat hocha la tête et réfléchit. Dix jours. Une semaine avant la mort du mari.

8

Lorsque, dans le parking de l'immeuble Pointe, Nikki Heat sortit lentement la Crown Victoria, elle entendit le bourdonnement régulier qui signalait la présence d'hélicoptères et baissa sa fenêtre. Trois appareils survolaient la ville, à environ cinq cents mètres à l'ouest, derrière le bâtiment de la Time Warner. Le plus bas, elle le savait, était celui de la police, les deux autres, qui se tenaient respectueusement à une hauteur plus raisonnable, appartenaient à des chaînes télévisées.

— Un scoop ! murmura-t-elle dans sa voiture vide.

Elle brancha sa radio sur la fréquence de la police et apprit vite qu'une canalisation de vapeur avait explosé, projetant des geysers brûlants, preuve supplémentaire que l'ancienne infrastructure de la Grosse Pomme n'était pas adaptée aux fournaises naturelles. Après une semaine de canicule, Manhattan commençait à gonfler et à boursoufler comme une pizza au fromage.

Columbus Circle serait impraticable. Elle opta donc pour un trajet plus long, mais plus rapide, par Central Park et East Drive, vers le nord. Comme la ville interdisait la circulation au public dans le parc jusqu'à trois heures, le trajet prenait des allures de promenade à la campagne, ce qui était parfait, tant que la climatisation était poussée à fond. Des travaux bloquaient le passage au niveau de la 71e Rue, mais l'agent de la circulation qui se rendit compte qu'elle roulait dans une voiture banalisée lui ouvrit la barrière en lui faisant un petit salut. Nikki s'arrêta près d'elle.

— Vous avez mis le bon Dieu en rogne pour vous retrouver là ?

— Ce doit être le mauvais karma d'une vie antérieure ! dit la jeune femme en riant.

Nikki vit la bouteille d'eau fraîche pas encore ouverte dans le porte-verre et la tendit à la jeune femme.

— Hydratez-vous bien, dit-elle avant de s'éloigner.

La chaleur écrasait tout. En dehors d'une poignée de joggeurs acharnés et de cyclistes fous, le parc était abandonné aux oiseaux et aux écureuils. Nikki ralentit en passant derrière le Metropolitan Museum et sourit en regardant le mur de verre incliné de la mezzanine qui, chaque fois qu'elle passait ici, lui rappelait la scène de *Harry rencontre Sally* où il lui apprend à signaler poliment au serveur qu'il y a trop de poivre sur les poivrons. Un jeune couple déambulait main dans la main, heureux d'être ensemble, avec la vie devant eux et, sans vraiment y penser, Nikki s'arrêta pour les regarder. Lorsqu'une vague de

148

mélancolie commença à la submerger, elle la repoussa en appuyant sur l'accélérateur. Il était temps de se remettre au travail.

Rook sursauta lorsque Nikki entra dans le bureau. De toute évidence, il l'attendait, impatient de savoir où elle était allée en cachette. Lorsqu'elle lui dit qu'elle était passée voir Noah Paxton, il ne sembla ni rassuré ni calmé.

— Je sais, vous n'êtes pas très contente de m'avoir toujours dans les pattes, mais je crois que je peux vous fournir une paire d'yeux et d'oreilles supplémentaires lors de ces interrogatoires.

— Je peux vous rappeler que je suis au beau milieu d'une enquête criminelle ? Si j'ai besoin de voir un témoin seule, c'est parce que j'ai envie qu'il me parle sans avoir une paire d'yeux ou d'oreilles supplémentaires, si utiles soient-elles !

— Vous voyez bien, je suis utile !

— Je dis que ce n'est pas le moment d'en faire une histoire personnelle et de se montrer exigeant.

Nikki regarda le journaliste, qui avait simplement envie d'être avec elle et, elle devait bien l'admettre, se montrait plus gentil qu'exigeant. Elle sourit.

— Oui, parfois, vous savez vous montrer utile.

— Très bien.

— Mais pas tout le temps, d'accord ?

— Nous sommes sur la bonne voie, ne cherchons pas trop loin.

— On a des nouvelles de Pochenko, dit Ochoa, qui entrait avec Raley.

— Dites-moi qu'il est à la prison de Rikers Island et qu'il n'a pas droit à son avocat. Ça, ce serait une bonne nouvelle. Qu'est-ce que vous avez ?

— Comme vous le disiez... Un type qui correspond à la description a volé du matériel de premiers secours chez Duane Reade, à East Village, aujourd'hui.

— On a la vidéo de surveillance aussi.

Raley enfila un DVD dans son ordinateur.

— On l'a formellement identifié ?

— C'est à vous de voir.

La vidéo du drugstore était hachée et floue, mais on voyait parfaitement le grand Russe qui remplissait un sac plastique de crèmes et d'aloe vera avant de se servir dans le rayon des bandages et des attelles.

— Le type est dans un sale état. Rappelez-moi de ne jamais me battre avec vous, lieutenant, dit Raley.

— Et de ne pas vous demander de repasser mes chemises ! ajouta Ochoa.

Ils continuèrent sur le même registre. Avant que quelqu'un n'invente une pilule, l'humour restait le meilleur dérivatif des flics. Sans cela, ce boulot vous avalait tout cru !

En temps normal, Nikki aurait continué à lancer des pics, mais elle était encore trop à vif pour rire de sa mésaventure. Si elle voyait Pochenko dans un panier à salade, en route pour passer le reste de sa vie à Ossining, elle cesserait peut-être de sentir ses mains sur sa gorge, dans son propre appartement. Alors, seulement, elle pourrait en rire.

— Mon Dieu, regardez ce doigt! Ça me donne envie de gerber!

— Il peut renoncer à sa bourse pour le conservatoire de piano! ajouta Raley.

Rook, toujours si prompt à la réplique, restait étrangement silencieux. Nikki le regarda et le surprit à l'observer avec le même regard que la veille, à la table de poker, en plus intense. Elle détourna les yeux, voulant briser le sentiment qu'il transmettait, quel qu'il soit, comme elle l'avait fait lorsqu'il lui avait offert la reproduction.

— Bon, c'est notre homme! dit-elle en se dirigeant vers le tableau blanc.

— Ai-je besoin de préciser qu'il est toujours à New York? dit Rook.

Elle préféra ne pas tenir compte de cette remarque. C'était une évidence, inutile de se créer des ennuis pour si peu.

— Raley, rien de nouveau sur la vidéo du Guilford?

— Non, je l'ai regardée jusqu'à en loucher. Ils n'ont eu aucun moyen de revenir dans le hall après l'avoir quitté. J'ai aussi examiné la vidéo de l'entrée de service. Rien.

— Bon, on aura au moins regardé.

— La vidéo du hall, c'était la pire, dit Raley. C'était comme regarder la chaîne parlementaire en moins marrant!

— Bon, je vais vous envoyer sur le terrain. Pourquoi vous n'iriez pas rendre une petite visite au docteur Van Peldt, pour vérifier l'alibi de Kimberly Starr? Et puisqu'on peut être certains qu'elle a tuyauté son grand amour, il faut s'assurer…

— Je sais… Voir avec la standardiste, les infirmières, le personnel de l'hôtel et tout le train-train.

— Super, Ochoa, on dirait que vous savez de quoi vous parlez.

Devant le tableau de l'enquête, Heat écrivit *Néant* en lettres rouges sous le titre : vidéo surveillance du Guilford. C'était peut-être à cause de l'angle sous lequel elle écrivait ou de la raideur consécutive à l'agression de la veille, mais elle laissa retomber son épaule et tourna lentement la tête, sentant la légère douleur qui lui rappelait qu'elle était toujours en vie. Elle entoura ensuite les mots *Maîtresse de Matthew*, ferma son marqueur et arracha le magazine des mains de Rook.

— Ça vous dit, une petite balade ?

Le long de Westside Highway, même le fleuve semblait souffrir de la chaleur. Sur leur droite, comme s'il faisait trop chaud pour bouger, immobile et assoupi, l'Hudson rendait les armes. Le chaos qui régnait toujours à l'ouest de Columbus Circle ferait les gros titres à cinq heures. Le jet de vapeur était maîtrisé, mais il restait un immense cratère lunaire qui obstruerait la 59e Rue Ouest pendant des jours. Sur la fréquence de la police, ils écoutèrent une émission sur la qualité de vie de la police de New York et apprirent qu'une brigade avait arrêté un homme qui avait uriné sur la voix publique et prétendait l'avoir fait volontairement pour passer la nuit dans une cellule climatisée.

— Donc, la canicule a provoqué deux éruptions qui ont nécessité l'intervention de la force publique ! dit Rook.

Nikki se mit à rire et se réjouit presque de l'avoir avec elle.

Lorsqu'elle avait programmé la rencontre avec l'ancienne maîtresse de Matthew Starr, Morgan Donnelly avait demandé si cela pouvait se faire à son travail, car c'est là qu'elle était la plupart du temps. Cela correspondait au portrait qu'avait dressé Noah Paxton un peu plus tôt. En fait, une fois qu'il avait décidé de cracher le morceau, Paxton avait été un moulin à paroles, et le stylo de Nikki avait eu du mal à suivre. En plus de lui avoir donné des surnoms, il avait traité cette aventure d'interlude en salle de réunion et avait résumé ce qu'il pensait de la maîtresse pas si secrète que ça en disant : « Morgan, c'était un cerveau, des seins, de l'énergie, la femme idéale de Matthew Starr. Travaillant comme une folle, baisant comme une dingue. Parfois, je les imaginais au lit, avec leur BlackBerry, s'envoyant des " Oh, oui, encore ! " entre deux contrats. »

Ce résumé en tête, garée devant l'adresse de Prince Street à Soho que Donnelly lui avait donnée, Nikki Heat consulta ses notes pour vérifier qu'elle ne s'était pas trompée. Son cou raidi protesta lorsqu'elle tourna la tête pour lire l'enseigne : *Feu et Glace*.

Rook cita un poème de Robert Frost.

— *Certains disent que le monde finira dans les flammes/d'autres disent dans les glaces.*

Il ouvrit la portière et la chaleur entra.

— Aujourd'hui, je dirais les flammes !

— Je n'arrive toujours pas à y croire, dit Morgan Donnelly, installée avec eux autour d'une table basse, dans un coin.

Elle ouvrit le col de sa blouse de chef impeccable et présenta le sucrier en acier à Heat et Rook pour leur Americano glacé.

Nikki essayait de concilier la Morgan pâtissière qui se trouvait devant elle avec la directrice du marketing que Noah Paxton avait décrite. Une histoire se cachait là-dessous, et elle la découvrirait.

— On lit des choses comme ça dans les journaux, mais cela ne concerne jamais des gens qu'on connaît, dit-elle, les commissures des lèvres descendantes.

La serveuse sortit de derrière le comptoir et leur apporta une assiette de mignardises qu'elle déposa au centre de la table. Morgan attendit qu'elle s'éloigne pour continuer.

— Je sais qu'avoir une aventure avec un homme marié me montre sous un mauvais jour ; je n'étais peut-être pas quelqu'un de bien. Mais sur le moment, cela me paraissait normal. Au milieu de toute la pression du travail, on vivait une passion qui n'appartenait qu'à nous.

Les yeux humides, elle essuya une larme sur sa joue. Heat cherchait des signes éloquents. Trop de remords ou pas assez, c'était mauvais signe. Il y avait d'autres indices, bien sûr, mais ces deux-là constituaient la base. Nikki n'aimait guère cette expression, mais jusque-là, l'attitude de Morgan semblait appropriée. Néanmoins, le lieutenant Heat ne pouvait se contenter de prendre la température ambiante.

En tant qu'ancienne maîtresse de la victime, Donnelly devait donner des réponses à deux questions simples : avait-elle des raisons de se venger et pouvait-elle tirer avantage de la mort de cet homme ? La vie aurait été beaucoup plus simple si Heat avait pu avoir un QCM tout prêt à envoyer par la poste, mais cela ne marchait pas ainsi, et elle devait tenter de déstabiliser cette femme.

— Où étiez-vous lorsque Matthew Starr a été assassiné ? Disons entre douze heures trente et quatorze heures trente ?

Elle commençait en balançant du lourd avant que Morgan ne soit sur ses gardes.

Morgan marqua une pause et répondit sans essayer de se défendre.

— Je sais exactement où j'étais. Je me trouvais avec l'équipe des films Tribeca pour une dégustation. J'ai dégotté un contrat pour l'une de leurs soirées, ce printemps, et je m'en souviens, car tout s'était bien passé et que je revenais ici pour fêter l'événement quand j'ai appris la mort de Matthew.

Nikki prit des notes et poursuivit.

— Vous avez eu des contacts avec monsieur Starr après avoir rompu ?

— Des contacts ? Vous demandez si on se voyait toujours ?

— Oui, ou d'autres types de contacts.

— Non, mais je l'ai croisé il y a quelques mois, même si lui ne m'a pas vue. Nous ne nous sommes pas parlé.

— Où était-ce ?

— Chez Bloomingdale, au comptoir du restaurant, au sous-sol. J'allais boire un thé, et il était là.

— Pourquoi ne lui avez-vous pas parlé ?

— Il était avec une femme.

Nikki le nota.

— Vous la connaissiez ?

Morgan sourit devant les sous-entendus de Nikki.

— Non. J'aurais peut-être salué Matthew, mais elle avait la main sur sa cuisse. Ils semblaient préoccupés.

— Vous pouvez la décrire ?

— Blonde, jeune, jolie. Très jeune.

Elle réfléchit un instant et ajouta :

— Oh ! elle avait un accent. Scandinave. Danois ou suédois, je ne sais pas.

Nikki et Rook échangèrent un regard et elle sentit qu'il regardait par-dessus son épaule lorsqu'elle écrivit : *Nounou*.

— Pas d'autres contacts ?

— Non. Quand on a rompu, j'étais brisée. Mais tout s'est passé gentiment. (Elle baissa les yeux vers son expresso et regarda Nikki.) Conneries. Je souffrais comme un diable. Mais nous étions adultes, tous les deux. On a emprunté des chemins séparés. La vie…, parfois…

Elle ne termina pas sa phrase.

— Revenons à la fin de votre liaison. Cela a dû être difficile au bureau. Il vous a mise à la porte ?

— Non, c'est moi qui ai démissionné. Cela aurait été embarrassant pour tous les deux de continuer à travailler ensemble. Et puis, ça aurait jasé...

— Pourtant, vous meniez une brillante carrière ?

— Et je vivais un grand amour. Du moins, c'est ce que je croyais. Lorsqu'on a rompu, ma carrière ne m'intéressait plus autant.

— Moi aussi, j'aurais été furieuse, dit Nikki.

Parfois, la meilleure façon de poser une question, c'était de ne pas la poser.

— Blessée et fragile, oui. Furieuse ? Non, il valait mieux que cela se termine. Une relation pareille... Une passion au travail... qui ne menait nulle part. J'ai compris que je m'en servais comme prétexte pour ne rien construire de sérieux. Je faisais la même chose en me jetant dans le boulot. Vous comprenez ce que je veux dire ?

Nikki se tortilla sur sa chaise, gênée, et bredouilla un simple « hum, hum » neutre.

— Au mieux, c'était un bouche-trou, et je ne rajeunissais pas.

Nikki se tortilla de nouveau, se demandant comment elle avait pu finir à la place de celle qui était mal à l'aise.

— Matthew a été sympa avec moi. Il m'a offert une grosse somme.

Nikki cessa de penser à elle et nota de vérifier cette information avec Paxton.

— Combien ?

— Rien. Je n'ai pas accepté.

— Pourtant, ce n'est pas comme si ça avait pu lui manquer, dit Rook.

— Vous ne comprenez pas, lui dit-elle, comme si elle le prenait pour un benêt. Si j'avais accepté son argent, cela aurait été comme si je ne le voyais que pour cela. L'important, ce n'était pas ce que pensaient les gens. La question, ce n'était pas de coucher pour monter au sommet.

Rook insista.

— Personne n'avait besoin de le savoir.

— Moi, je l'aurais su.

Sur ces mots, Nikki Heat ferma son carnet.

Un gâteau aux carottes hurlait sous son nez, et il était temps de le réduire au silence. Tandis que Nikki enlevait le papier du dessous, elle tendit la tête vers la boutique et dit :

— Ce n'est pas là que je m'attendais à voir la titulaire d'un MBA qui carbure au Red Bull.

Morgan éclata de rire.

— Oh ! cette Morgan Donnelly ! Elle est toujours dans les parages. Elle pointe le bout de son nez de temps en temps et me fait vivre l'enfer.

Elle se pencha vers Nikki.

— La fin de cette liaison, il y a trois ans, a été une véritable révélation. J'en avais déjà ressenti les prémices avant, mais j'avais refusé d'y prêter attention. Parfois, le soir, dans mon grand bureau d'angle panoramique, avec un téléphone collé à l'oreille, deux lignes en attente et une dizaine de courriels urgents auxquels je devais répondre, je regardais tous ces gens dans la rue en me disant : « Regarde-les, ils rentrent chez eux, ils vont retrouver quelqu'un. »

Nikki, qui léchait la crème du glaçage sur ses doigts, s'arrêta.

— Mais une femme comme vous, au sommet de la pyramide, cela devait être gratifiant, non ?

— Après Matthew, je ne pensais plus qu'à une chose : qu'est-ce qui me reste ? Je repensais à tout ce qui m'était passé sous le nez pendant que je paradais en tailleur noir, pour ma carrière. La vie, vous savez ? C'est là, ma renaissance. Un jour, je regardais *Good Morning America* à la télé, et Emeril préparait des tartes. En pantoufles et pyjama, à l'approche de la trentaine, sans boulot, sans ami, et, il faut regarder les choses en face, sans obtenir grand-chose même quand j'avais les deux, je me suis dit qu'il était grand temps de repartir de zéro.

Nikki avait le cœur qui tambourinait. Elle but une gorgée de son Americano.

— Alors, vous avez fait le grand saut. Pas de filet, pas de regrets, pas de regards en arrière ?

— Pour voir quoi ? J'ai décidé de suivre la voie du bonheur. Et le prix du bonheur, c'est d'être endettée jusqu'au cou ! Mais ça marche. J'ai commencé petit, je suis toujours petite, d'ailleurs, regardez... Mais c'est que du bonheur. Je suis même fiancée.

Elle leva sa main gauche, qui ne portait pas de bague.

— Elle est magnifique, dit Rook.

Morgan bredouilla un « oups » et rougit un peu.

— Je ne la porte jamais pour travailler. C'est le type qui me fait mon site web, on va se passer la corde au cou cet automne. Je suppose que l'on ne sait jamais ce que la vie nous réserve !

Nikki réfléchit et devait bien admettre qu'elle était d'accord.

Sur le trajet du retour, Rook tenait une immense boîte de cupcakes en équilibre sur ses genoux. Heat s'arrêta lentement à un feu rouge, pour que le précieux cadeau qu'il rapportait au commissariat ne s'écroule pas en miettes.

— Alors, agent Rook, je ne vous ai pas encore entendu me demander de jeter Morgan Donnelly en prison. Comment ça se fait ?

— Oh ! elle est rayée de la liste.

— Pourquoi ?

— Trop heureuse.

Heat hocha la tête.

— Je suis d'accord.

— Mais vous allez quand même vérifier son alibi et voir cette histoire de gros chèque d'adieu avec Paxton ?

— Exact.

— Et on a une invitée surprise qu'il va falloir interroger : la nounou scandinave !

— Vous êtes en progrès.

— Oh oui ! j'apprends vite. Vous avez posé des questions intéressantes…

Elle le regarda, sachant que la suite n'allait pas tarder.

— Ah bon ? Elle avait une histoire intrigante et je voulais en savoir plus.

— Hum, c'est pas ce que j'aurais cru.

Rook attendit que la couleur monte aux joues de Nikki et regarda droit devant lui par le pare-brise, avec son sourire stupide.

— C'est vert, se contenta-t-il de dire.

— Oh! les gars, c'est l'intention qui compte, dit Raley.

Rook, les Gars, quelques policiers en civil et en uniforme s'étaient rassemblés autour de la boîte ouverte de Feu et Glace, que Rook avait précieusement gardée sur ses genoux pendant tout le trajet. L'assortiment de biscuits glacés, de crème fouettée et de ganache avait fondu et s'était amalgamé dans ce que l'on pouvait décrire comme un carambolage pâtissier.

— Pas question! Il nous a promis des cupcakes, je ne veux pas manger de la mélasse, je veux un cupcake!

— Je vous jure qu'ils étaient impeccables quand on est sortis de la pâtisserie, dit Rook, mais la pièce se vidait malgré ses bonnes intentions. C'est la chaleur, tout fond!

— Laissez-les encore un peu au soleil, je reviens avec une paille, dit Ochoa.

Il se dirigea vers le grand bureau ouvert avec Raley. Heat mettait le tableau blanc à jour.

— Ça se remplit, dit Raley.

À ce stade d'une enquête, les sentiments étaient toujours partagés entre la satisfaction de voir les données s'accumuler sur le tableau et la frustration, bien plus grande, de ne pouvoir en tirer aucune solution concrète. Néanmoins, tous savaient que c'était un long processus et chaque nouvel élément était un pas de plus vers la résolution de l'affaire.

— Bon, dit Nikki à son équipe, l'alibi de Morgan Donnelly est conforme à ce que m'ont dit les organisateurs de la soirée de Tribeca.

Tandis que Rook entrait dans la pièce en mangeant un cupcake dans l'emballage de papier à la petite cuillère, elle ajouta :

— Pour le bonheur des cupcakes, j'espère que la vague de chaleur se terminera avant la fin avril. Les Gars, vous avez vu le chirurgien de Kimberly ?

— Ouais, et j'ai envie qu'il m'enlève un truc moche qui m'inquiète depuis deux ans, dit Raley avant de marquer une pause : Ochoa !

— Vous voyez, lieutenant, je donne, je me défonce, et voilà ce que je récolte !

Ochoa plongea dans ses notes.

— L'alibi de la veuve est confirmé. Elle a eu un rendez-vous de dernière minute pour une « consultation » et elle est arrivée à une heure et quart. Ça colle avec l'heure à laquelle elle est sortie du glacier d'Amsterdam.

— Et elle est arrivée dans l'East Side en quinze minutes ? Elle était drôlement pressée.

— Aucune montagne n'est infranchissable, dit Rook.

— OK, poursuivit Nikki. Madame Starr a fini par nous dire la vérité sur sa liaison avec Barry Gable et le docteur Botox. Mais on n'a que les endroits où elle se trouvait. Vérifiez les coups de téléphone avec Miric ou Pochenko, pour qu'on soit certains de notre affaire.

— OK, dirent les Gars à l'unisson avant d'éclater de rire.

— Tu vois, dit Ochoa, je n'arrive même pas à être fâché contre toi.

Ce soir-là, l'obscurité tentait de s'infiltrer dans l'air humide de la 82e Rue Ouest lorsque Nikki sortit du poste avec le paquet du Metropolitan contenant la reproduction du John Singer Sargent. Rook se tenait sur le bord du trottoir.

— J'ai une voiture de service qui vient me chercher. Vous me permettez de vous accompagner ?

— Ça ira. Je vais bien. Et merci encore pour ça. Vous n'auriez pas dû. (Elle se tourna vers Columbus, pour prendre le métro, près du planétarium.) Mais vous voyez, je le garde. Bonsoir.

Lorsqu'elle arriva au coin de la rue, Rook était toujours derrière elle.

— Si vous tenez à prouver que vous êtes une vraie macho en rentrant à pied, laissez-moi au moins porter ça !

— Bonsoir, monsieur Rook.

— Attendez !

Elle s'arrêta sans dissimuler son impatience.

— Voyons, Pochenko est toujours dans la nature. Vous devriez être protégée.

— Par vous ? Et vous, monsieur Rook, qui vous protégera ? Ne comptez pas sur moi !

— Mazette ! Un flic qui se sert du « monsieur » comme d'une arme. Je suis désemparé.

— Écoutez, si vous avez le moindre doute, je ne serais que trop heureuse de vous faire une petite démonstration. Vous avez une bonne mutuelle ?

— D'accord. Et si ce n'était qu'un mauvais prétexte pour aller visiter votre appartement ? Qu'est-ce que vous diriez ?

Nikki regarda de l'autre côté de la rue et se retourna vers lui.

— Je vous apporterai des photos demain, dit-elle en traversant la rue et en le laissant en plan.

Une demi-heure plus tard, elle montait les marches du quai R jusqu'au trottoir de la 23e Rue Est et vit le quartier plonger dans la nuit, car Manhattan jetait finalement l'éponge, victime d'une gigantesque coupure d'électricité. Au début, un étrange silence s'installa, car le bourdonnement des centaines et des centaines de climatiseurs cessa soudain, un peu comme si la ville retenait son souffle.

Les phares des voitures de Park Avenue fournissaient quelques lumières ambiantes. Les lampadaires et les feux de signalisation étaient éteints, et bientôt les klaxons furieux des conducteurs qui revendiquaient leur bout d'asphalte et leur droit au passage retentirent.

Ses bras et ses épaules lui faisaient encore mal lorsqu'elle tourna vers son immeuble. Elle posa le Sargent sur le trottoir et l'appuya soigneusement contre un portail en fer forgé pendant qu'elle ouvrait son sac à main. Plus elle s'éloignait de l'avenue, plus l'obscurité s'approfondissait. Elle chercha sa petite Maglite et braqua le faisceau de manière à ce qu'il lui signale les pavés irréguliers et les crottes de chien.

L'étrange silence laissa bientôt place aux voix qui flottaient dans le noir, par les fenêtres ouvertes, et elle entendait indéfiniment les mêmes mots : « coupure », « lampe de poche », « piles »… Elle sursauta en entendant quelqu'un tousser et braqua sa lumière vers un vieux monsieur qui promenait son chien.

— Vous m'aveuglez avec votre truc! dit-il avant qu'elle ne repointe le faisceau vers le sol.

— Excusez-moi.

Elle n'obtint pas de réponse. Nikki reprit son paquet à deux mains et avança vers chez elle, sa lampe coincée entre sa paume et le carton, éclairant un mètre en avant de ses pieds. Elle se trouvait encore à deux immeubles de chez elle lorsqu'elle entendit des pas précipités derrière. Elle s'arrêta. Écouta. Écouta attentivement. Plus rien.

Un crétin cria : « Ouuuuu! » sur le toit, de l'autre côté de la rue, en jetant des papiers enflammés qui projetèrent une lueur orange tourbillonnante avant de se consumer à mi-chemin et de tomber sur le trottoir. Cela lui rappelait à bon escient qu'il valait mieux ne pas s'attarder dans les rues. Devant sa porte, Nikki reposa de nouveau son tableau et se pencha pour prendre sa clé. Derrière elle, elle entendit des pas précipités et une main lui toucha le dos. Elle se retourna, balança un grand coup de pied rotatif et, au moment où elle entendit Rook crier « Hé! », il était trop tard pour faire autre chose que retrouver l'équilibre et espérer qu'il ne s'était pas cogné la tête trop fort dans sa chute.

— Rook?

— Ici-bas...

Nikki braqua sa lampe en direction de la voix et elle le vit, assis sur le bord du trottoir, adossé à un tronc d'arbre, une main sur la mâchoire.

165

— Vous allez bien ? lui demanda-t-elle en se penchant vers lui. Qu'est-ce que vous fichez...

— Je ne vous avais pas vue. Je vous ai heurtée.

— Mais qu'êtes-vous venu faire ici ?

— Je voulais m'assurer...

— Vous ne m'avez pas écoutée et vous m'avez suivie ?

— Toujours aussi maligne, lieutenant.

Il mit une main contre l'arbre, et l'autre contre le trottoir.

— Vous voudrez peut-être vous retourner ? Je suis dans une mauvaise passe. Ne faites pas attention aux grognements.

Elle ne se tourna pas et lui passa une main sous le bras pour l'aider à se relever.

— Je vous ai cassé quelque chose ? demanda-t-elle en braquant sa lampe vers son visage.

Il avait la joue rouge et un peu égratignée.

— Faites comme ça, dit-elle en dirigeant la lampe vers son propre visage et en ouvrant grand la mâchoire et en la refermant.

Il suivit ses instructions.

— Comment ça va ?

— Cela aurait été plus humain de m'achever. Vous avez des balles ?

— Vous allez bien. Vous avez de la chance. Je vous ai à peine effleuré.

— Vous avez de la chance... J'ai renoncé à toute poursuite quand j'ai entamé cette mission d'accompagnement.

Elle sourit dans le noir.

— Alors, on a de la chance tous les deux.

Nikki supposa qu'il avait dû entendre son sourire, car il s'approcha d'elle, ne laissant qu'un

166

minuscule intervalle entre eux. Ils restèrent immobiles, sans se toucher, mais sentant la proximité de leurs corps dans la chaleur nocturne. Nikki commença à osciller et se pencha on ne peut plus légèrement vers lui. Son sein effleura doucement son bras.

Soudain, un projecteur les éclaira.

— Lieutenant Heat ? dit la voix du patrouilleur.

Elle recula d'un pas et se protégea les yeux.

— Oui.

— Tout va bien ?

— Oui. C'est...

Elle regarda Rook, qui n'appréciait guère qu'elle marque une pause pour trouver comment le qualifier.

— Il est avec moi.

Nikki connaissait la règle. Tandis qu'il baissait la lumière, elle imagina la réunion dans le bureau du capitaine Montrose après son départ. Ils avaient beau jouer à « même pas mal », le poste, c'était une grande famille et, si vous étiez menacé, vous ne pouviez pas couper à la protection. Le geste aurait été moins mal venu si elle n'avait pas eu Jameson Rook sur le dos.

— Merci, c'est gentil, mais c'est inutile. Vraiment.

— De toute façon, on est là toute la nuit. Vous voulez qu'on monte ?

— Non, dit Nikki avec un peu plus d'empressement qu'elle n'aurait voulu. Merci, poursuivit-elle, plus calmement. J'ai... (Elle regarda Rook, qui sourit jusqu'à ce qu'elle finisse.) ... une lampe de poche.

Rook baissa la voix.

— Je crois que je vais dire à James Taylor que j'ai une nouvelle chanson pour lui. *J'ai une lampe de poche* [1] *!*

— Oh! ne soyez pas si... Vous connaissez James Taylor?

— Heat?

— Oui?

— Vous avez de la glace chez vous?

Nikki attendit un moment pendant qu'il se frottait la joue.

— Allons voir ça.

1. Allusion à la populaire chanson *You've Got a Friend* (« T'as un ami »), écrite et interprétée par Carole King, mais reprise en 1971 par James Taylor avec un énorme succès. (NDT)

9

L'immeuble de Nikki Heat n'avait rien du Guilford. Il était loin d'en avoir la taille et n'avait pas de portier. Rook passa les doigts dans la poignée de cuivre et ouvrit la porte tandis qu'elle entrait dans le petit hall. Ses clés tintèrent contre la paroi intérieure de la porte de verre, et elle fit signe aux policiers en uniforme, toujours garés en double file devant chez elle.

— Nous sommes à l'intérieur, dit-elle. Merci.

Les policiers laissèrent les phares allumés, si bien qu'il ne faisait pas vraiment noir.

— Une chaise, vous voyez ? dit Nikki en l'éclairant brièvement. Restez là.

Une rangée de boîtes aux lettres métalliques scintillait dans le reflet. Elle balaya le faisceau de sa lampe un peu plus loin et, même si la lueur était faible, elle donnait une idée des lieux, révélant le long couloir étroit. L'unique ascenseur était situé sur la gauche et, sur la droite, séparé par une table avec une boîte contenant quelques paquets d'UPS et des journaux que personne n'avait encore revendiqués, un passage menait à l'escalier.

— Tenez ça.

Elle lui donna la boîte et approcha de l'ascenseur.

— À moins qu'il fonctionne à vapeur, je ne crois pas qu'il puisse nous être utile, dit Rook.

— Sans blague ?

Elle éclaira le panneau de cuivre, qui indiquait où se trouvait la cabine. La flèche pointait sur le rez-de-chaussée. Heat tapa sur la porte avec sa lampe et une série de « bongs » bruyants retentirent.

— Il y a quelqu'un ? dit-elle en collant son oreille au métal.

— Personne, dit-elle à Rook.

Elle tira la chaise du hall vers l'ascenseur et y grimpa.

— Pour que ça marche, il faut tirer par le haut…

Elle coinça la minuscule lampe entre ses dents pour libérer ses mains et écarta les portes de quelques centimètres, au centre. Nikki pencha la tête et éclaira l'intérieur. Satisfaite, elle relâcha les portes et descendit.

— Tout est normal.

— Flic un jour, flic toujours…, dit Rook.

— Hum, pas toujours.

Elle comprit la véritable signification du mot « noir » lorsqu'ils montèrent les escaliers aveugles, sans l'aide de l'éclairage des policiers qui filtrait dans le hall. Nikki ouvrait le chemin avec sa Maglite. Rook la surprit en fournissant sa propre lumière.

— Qu'est-ce que c'est ? demanda-t-elle sur le palier du second étage.

— Une application. Sympa, non ?

L'écran de l'iPhone diffusait la lueur de la flamme virtuelle d'un briquet.

— Ça fait un malheur dans les concerts ! dit-il.

— C'est Mick qui vous a raconté ça ?

— Non, ce n'est pas Mick, dit-il alors qu'ils continuaient à monter. C'est Bono.

La montée au troisième n'avait rien de difficile, mais, dans l'air étouffant de la cage d'escalier, ils avaient le visage en sueur. Dans le vestibule, elle appuya machinalement sur l'interrupteur et se reprocha d'être aussi stupide.

— Vous avez du réseau, là-dessus ? demanda-t-elle en regardant le portable.

— Oui, parfait, toutes les barres.

— Miracle, miracle ! dit-elle en ouvrant son portable pour appeler le capitaine Montrose.

Elle dut s'y reprendre à deux fois pour établir la connexion et, pendant que le téléphone sonnait, elle conduisit Rook dans la cuisine et éclaira le freezer.

— Mettez de la glace sur cette mâchoire pendant que… Allô ? Capitaine, je suis arrivée.

La ville était en état d'alerte et le lieutenant Heat voulait savoir si elle devait se rendre au poste ou rejoindre une base quelconque. Montrose confirma que l'équipe de veille d'urgence avait appelé et que toutes les permissions et tous les congés étaient suspendus.

— J'aurais peut-être besoin de vous pour diriger une équipe, mais pour l'instant, la ville est calme. Je crois qu'on a retenu l'expérience de

2003. Après les vingt-quatre heures que vous venez de passer, le plus utile pour moi, ce serait que vous vous reposiez pour être fraîche, demain matin, au cas où ça continue.

— Euh…, capitaine, j'ai été un peu surprise de voir que j'avais de la compagnie.

— Ah oui… J'ai passé un appel à la Treizième. J'espère qu'on vous traite bien.

— Oui, oui, mais avec ce problème, il y a peut-être un meilleur moyen d'utiliser les ressources ?

— Si vous parlez de protéger ma meilleure enquêtrice pour que personne ne vienne perturber son sommeil, je ne vois pas de meilleure utilisation. Raley et Ochoa voulaient s'en charger, mais j'ai mis le holà. Ça, ça aurait été un gâchis de ressources.

Mon Dieu, il n'aurait plus manqué que cela : avoir les Gars sur le dos, au beau milieu d'un frotti-frotta de boutons avec Rook ! D'ailleurs, elle n'était pas très contente que ces types en uniforme sachent à quelle heure Rook s'en irait, même si ce serait bientôt.

— C'est gentil, capitaine, mais je suis une grande fille, je suis en sécurité chez moi, je suis armée et je pense que la ville ne s'en trouvera que mieux si vous libérez cette voiture.

— Bon, d'accord. Mais vous fermez votre porte à double tour. Je ne veux voir aucun inconnu dans cet appartement ce soir, vous m'entendez ?

Elle regarda Rook, penché sur le bloc de couteaux, une serviette remplie de glaçons contre la joue.

— Ne vous inquiétez pas, capitaine. Et oui, merci, capitaine. (Elle coupa la communication.) Ils n'ont pas besoin de moi ce soir.

— Alors, votre manœuvre pour me mettre à la porte n'a pas fonctionné !

— Taisez-vous et laissez-moi regarder ça !

Elle s'approcha de lui et baissa la serviette pour examiner la joue meurtrie.

— Ça n'enfle pas, c'est bon signe. Mon talon passait un centimètre plus près et vous étiez condamné à la soupe pour deux mois !

— Comment ça ? C'est avec le pied que vous m'avez frappé ?

— Et alors ? répondit-elle en haussa les épaules avant de poser les doigts sur la mâchoire.

— Ouvrez et fermez. Ça fait mal ?

— À ma fierté seulement.

Elle sourit et, du bout des doigts, lui caressa la joue. Les coins de la bouche légèrement relevés, il lui adressa un regard qui lui fit trembler le cœur. Nikki recula avant que le magnétisme n'emmagasine trop de force et se demandant soudain si elle était une sorte de cinglée que les scènes de crime excitaient.

D'abord sur le balcon de Matthew Starr et, à présent, dans sa propre cuisine ! Ce n'était pas si grave d'être un peu cinglée, mais les scènes de crime ? En tout cas, c'était le seul dénominateur commun. Oui… Et Rook, aussi.

Il secoua la serviette pour faire tomber la glace dans l'évier, et, pendant qu'il était occupé, Nikki se demanda ce qui avait pu lui passer par la tête pour l'inviter à monter. Peut-être accordait-elle trop d'importance à cette visite, peut-être se faisait-elle des idées. Parfois, un cigare n'était qu'un bête cigare, pas vrai? Et parfois, monter pour avoir de la glace, c'était juste monter pour avoir de la glace. Elle avait toujours le souffle court, à se trouver si près de lui. Et ce regard... Non, se dit-elle avant de prendre sa décision. Le mieux, c'était de ne pas forcer les choses. Il avait eu sa glace, elle avait tenu sa promesse; le plus intelligent, ce serait de s'en tenir à cela et de le renvoyer chez lui.

— Je vous offre une bière? proposa-t-elle.

— Je ne sais pas, répondit-il d'un ton grave. Votre fer est débranché? Oh! pardon, il n'y a plus d'électricité. Je n'ai pas besoin d'avoir peur qu'on me repasse le visage.

— Ah! très drôle. Vous savez quoi? Je n'ai pas besoin de cet imbécile de fer. J'ai un bon couteau de cuisine, et vous n'imaginez pas tout ce que je sais faire avec!

— Je ne suis pas mauvais avec la bière, dit-il.

Il ne restait qu'une Samuel Adams dans le réfrigérateur qu'ils partagèrent, mais, pendant que Nikki sortait les verres, elle se demanda de nouveau ce qui avait bien pu lui passer par la tête pour lui proposer une bière. Elle ressentit un frisson trouble et sourit en pensant aux nuits noires et chaudes qui poussaient à enfreindre les lois. Finalement, elle avait peut-être besoin qu'on la protège... contre elle-même.

Rook et son briquet virtuel disparurent dans le salon pendant qu'elle cherchait des bougies dans un tiroir. Lorsqu'elle entra dans la pièce, Rook accrochait le John Singer Sargent.

— C'est droit, comme ça ?

— Oh...

— Je sais, c'est un peu audacieux. Vous savez ce que je pense des limites... Vous pouvez l'accrocher ailleurs, si vous voulez, j'ai pensé que je pouvais le mettre à la place de votre affiche de produits pharmaceutiques, pour que vous puissiez voir l'effet... Oui, là, c'est bien. Ça me plaît, ici. Donnez-moi un peu de lumière, que je voie mieux. J'ai peut-être trouvé la bonne place.

Nikki frotta une allumette et la flamme couvrit son visage d'un film d'or. Elle se pencha vers le verre incurvé de la lampe tempête posée sur l'étagère et colla l'allumette à la mèche.

— Et vous, qui êtes-vous ? demanda Rook en montrant la reproduction. Laquelle des fillettes qui allument la lanterne ? Je vous regarde en train de faire la même chose et je me demande si vous vous retrouvez dans l'une d'elles.

Elle alla vers la table basse et y déposa deux cierges.

— Ni l'une ni l'autre, répondit-elle en les allumant. J'aime bien l'ambiance du tableau, l'émotion qu'il transmet. Les lumières, l'air de fête, l'innocence.

Elle s'assit sur le divan.

— Je n'arrive toujours pas à croire que vous me l'avez offert. C'est vraiment très gentil...

Rook s'approcha de l'autre côté de la table et s'installa à côté d'elle sur le divan, mais à l'autre extrémité, le dos contre l'accoudoir, laissant un vide entre eux.

— Vous avez vu l'original ?

— Non, il est à Londres.

— À la Tate Gallery, précisa-t-il.

— Alors, vous, vous l'avez vu. Faites-vous mousser un peu.

— J'y suis allé avec Bono et Mick. Dans la Bentley d'Elton John.

— J'ai failli vous croire !

— Tony Blair était furieux qu'on ait invité le prince Charles et pas lui.

— Failli, seulement ! dit-elle en riant et en jetant un coup d'œil à la reproduction.

— J'ai bien aimé les Sargent que j'ai vus au Musée des beaux-arts de Boston, quand j'allais à Northeastern. Il y a fait quelques peintures murales, aussi.

— Vous étiez étudiante aux beaux-arts ?

Avant qu'elle puisse répondre, il leva son verre.

— Hé ! regardez-nous ! Nikki et Jamie, qui trinquent en bons amis.

Elle trinqua avec lui et but une gorgée. L'air était si chaud que la bière était déjà tiède.

— J'étais en littérature anglaise, mais je voulais changer pour le théâtre.

— Il va falloir que vous m'aidiez un peu. Comment êtes-vous passée du théâtre à la police ?

— Le saut est moins gigantesque que l'on ne croit. Dites-moi que ce que je fais n'a rien à voir avec le jeu d'acteur et ni l'élaboration de scénarios ?

— C'est vrai. Mais ça, c'est le comment. Ce qui m'intéresse, c'est le pourquoi.

Le meurtre.

176

La fin de l'innocence.

Le changement de vie.

Elle réfléchit un peu avant de répondre.

— C'est personnel. Quand on se connaîtra un peu mieux, peut-être.

— Personnel ? C'est le nom de code pour : « À cause d'un type ? »

— Rook, vous me suivez depuis combien de semaines, maintenant ? Me connaissant comme vous me connaissez, vous pensez que je prendrais une telle décision à cause d'un mec ?

— Le jury ne tiendra pas compte de ma question.

— Non, pas question, répondez ! dit-elle en s'approchant de lui. Vous feriez ça pour une femme ?

— Je suis incapable de répondre.

— Vous n'avez pas le choix, c'est un interrogatoire. Vous feriez ça pour une femme ?

— Dans le néant…, je ne vois rien.

— Bon, très bien.

— Mais, dit-il avant de marquer une pause pour réfléchir, pour la femme de ma vie ? J'aimerais croire que je ferais n'importe quoi.

Semblant satisfait de sa réponse, il souligna ses propos d'un hochement de tête et leva les sourcils. À cet instant, Jamie Rook ne ressemblait plus à un globe-trotter sur la couverture d'un magazine, mais plutôt à un enfant sur une toile de Norman Rockwell, candide et dépourvu de malice.

— Je crois qu'il nous faudrait quelque chose de plus fort.

— Il y a une panne générale, je pourrais dévaliser un marchand de vins et spiritueux. Vous avez un bas, que je me le passe sur la tête ?

Le bar contenait un quart de sherry de cuisine, une bouteille de vin à la pêche, sans date de péremption, mais qui, vieux de plusieurs années, s'était décomposé et avait pris l'aspect et la couleur d'un matériau nucléaire fissible... Et, miracle, une demi-bouteille de téquila.

Rook tint la lampe, et Nikki releva le nez du réfrigérateur et brandit un misérable petit citron vert, comme si elle venait de trouver la balle de Barry Bonds[1], avec l'hologramme du joueur.

— Dommage que je n'aie pas de triple sec ou de Cointreau : on aurait pu faire des margaritas.

— Je vous en prie, vous empiétez sur mon domaine, à présent.

Ils retournèrent au salon et il posa un couteau à éplucher, une salière et la téquila sur la table basse.

— Aujourd'hui, nous allons apprendre à faire des margaritas maison. Regardez bien !

Il découpa un coin de citron, versa une rasade de téquila, lécha le creux de sa main entre le pouce et l'index, y versa un peu de sel. Il lécha le sel, but le verre cul sec et mordit dans le citron.

— Waouh ! Ça, c'est la vie ! C'est Desmond Tutu qui m'a appris ce truc, ajouta-t-il, ce qui la fit rire. À votre tour !

---

1. Le 7 août 2007, Barry Bonds a frappé le 756ᵉ *home run* de sa carrière. Un record dans l'histoire de la Major League Baseball. La balle avec laquelle Bonds a accompli cet exploit est donc devenue un objet d'une valeur exceptionnelle. (NDT)

D'un mouvement fluide, Nikki prit le couteau, découpa un morceau de citron, sala sa main et vida son verre d'un trait. Quand elle vit son expression, elle dit :

— Où pensez-vous que j'ai passé ces dernières années ?

Rook lui sourit et prépara un autre verre. En le regardant, elle sentait que ses épaules endolories se détendaient et que, centimètre par centimètre, elle s'éloignait de cet état d'inquiétude permanente qui, malgré elle, était devenu un style de vie. Lorsque le cérémonial fut prêt, Rook lui tendit le verre au lieu de le boire. Elle regarda le sel sur sa main et le quartier de citron entre son pouce et son index.

Sans lever les yeux vers lui, car elle avait peur de changer d'avis et de ne pas sauter le pas, elle se pencha vers la main, sortit la langue, rapidement au début, puis, volontairement, elle ralentit son geste et lécha doucement la main. Il lui offrit le verre qu'elle avala d'un trait, puis, lui prenant le poignet entre les doigts, elle guida le quartier de citron jusqu'à ses lèvres. Le jus acide dégagea, son palais et, lorsqu'elle avala, la chaleur de la téquila se propagea dans tous ses membres, lui apportant une gaieté exubérante.

Elle ferma les yeux et se passa la langue sur les lèvres pour savourer le sel citronné. Nikki n'était pas ivre, c'était autre chose. Elle se laissait aller. Aux choses simples, si naturelles pour les autres. Pour la première fois depuis bien longtemps, elle se sentait parfaitement détendue. Ce fut à cet instant qu'elle s'aperçut qu'elle tenait toujours la main de Rook. Cela ne semblait pas le gêner.

Ils ne dirent pas un mot. Nikki lécha sa propre main et la sala. Prit un quartier de citron, remplit un verre et lui offrit sa main. Contrairement à elle, il n'évita pas son regard.

Il porta la main de Nikki à ses lèvres, lécha le sel, savoura la salinité de sa peau tout autour du creux de la main, en la regardant dans les yeux. Il vida le verre et mordit dans le citron. Les yeux dans les yeux, ils ne bougeaient ni l'un ni l'autre, version longue de leur scène de publicité pour parfum du balcon de Matthew Starr. Cette fois, Nikki ne s'écarta pas.

Hésitant, lentement, chacun s'approcha de quelques millimètres, toujours en silence, toujours les yeux dans les yeux. Toutes les inquiétudes, tous les conflits qui la tourmentaient auparavant, elle les repoussa dans le domaine des tergiversations. À cet instant, Nikki Heat n'avait plus envie de réfléchir. Elle voulait être. Elle tendit la main et lui caressa la mâchoire qu'elle avait cognée plus tôt. Elle se dressa sur ses genoux, se pencha vers Rook, et, un peu au-dessus de lui, elle l'embrassa sur la joue. Elle resta immobile un instant à observer les ombres mouvantes de la bougie sur ses traits. Ses cheveux lui chatouillaient doucement le visage. Il tendit la main, lissa une mèche en lui caressant la tempe.

Penchée au-dessus de lui, Nikki sentait la chaleur de son torse et la douce odeur de son eau de Cologne. La lueur vacillante des flammes donnait à la pièce une impression de mouvement, un peu comme dans un avion qui traverserait des turbulences. Elle se rapprocha de lui, et il vint à sa rencontre. Sans vraiment bouger, ils dérivèrent l'un vers l'autre, attirés par une force naturelle irrésistible, qui n'avait ni nom, ni couleur, ni goût... Rien que de la chaleur.

Puis ce qui avait commencé si lentement s'anima de sa propre vie. Ils volèrent l'un vers l'autre, bouche contre bouche, franchissant une frontière qui les défiait. Ils se dévoraient et se touchaient avec une ardeur attisée par la curiosité et le désir, impatients tous deux d'explorer les limites de leur passion.

Une des bougies commença à crachoter et à grésiller. Nikki s'écarta de Rook et s'assit. Le souffle court, trempée de la sueur des deux corps, elle regarda la flamme rougir avant de s'éteindre. Lorsque la lueur fut consumée par l'obscurité, Nikki se leva, tendit la main à Rook, qui se leva avec elle.

Une des bougies avait brillé de ses derniers feux avant de s'éteindre, mais l'autre était toujours allumée. Nikki la prit et éclaira le chemin jusqu'à la chambre.

10

Sans un mot, Nikki le conduisit dans la chambre et posa le bougeoir sur la commode, devant le miroir triptyque, qui démultipliait la lumière. Elle se tourna et trouva Rook tout près d'elle, attiré comme un aimant. Elle lui passa les bras autour du cou et approcha ses lèvres des siennes. Il entoura sa taille de ses longs bras et serra son corps. Dans des baisers profonds, brûlants et chaleureux à la fois, elle savourait la douceur et la tendresse de sa bouche. Une main de Rook se ferma sur son chemisier et hésita. Elle la saisit et la glissa sur son sein. Sous la chaleur tropicale de la pièce, Nikki sentait les doigts se glisser dans la moiteur de sa transpiration. Elle baissa le bras vers ses reins, et il gémit doucement. Nikki commença à se balancer, et il la suivit dans une dense lente, qui les entraînait dans un délicieux vertige. Rook l'attira à reculons vers le lit. Lorsqu'elle sentit le matelas contre ses jambes, elle se laissa tomber, l'entraînant avec elle. Tandis qu'ils flottaient tous les deux, Heat le serra contre elle et se retourna, le surprenant en atterrissant sur lui. Il leva les yeux vers elle.

— T'es douée…

— Tu n'imagines pas à quel point !

Ils plongèrent l'un dans l'autre, et Nikki savourait le faible picotement de l'acidité et du sel sur sa langue. Elle l'embrassa sur le visage et lui taquina l'oreille. Elle sentait les muscles de l'abdomen se contracter contre elle, tandis qu'il enroulait sa tête autour de son cou et mordillait la chair tendre de l'épaule. Nikki commença à déboutonner la chemise. Rook s'empêtrait dans les boutons du chemisier, si bien qu'elle se redressa, s'agenouilla au-dessus de lui et ouvrit le corsage d'un geste, faisant sauter un des boutons qui alla rouler sur les lattes de plancher. D'une main, Rook défit l'agrafe du soutien-gorge. Nikki glissa les bras hors des bretelles et plongea brusquement sur lui pour lui déboucler sa ceinture. Elle ouvrit la fermeture éclair. Nikki l'embrassa encore et murmura :

— J'ai des protections dans la table de chevet.

— Tu n'as pas besoin d'arme. Je me conduirai en parfait gentleman.

— T'as pas intérêt !

Le cœur battant très fort dans sa poitrine sous l'effet de l'excitation et de la tension, elle sauta sur lui. Une vague la submergea et balaya tous les sentiments conflictuels, toutes les appréhensions contre lesquelles elle se débattait ; elle se sentait tout simplement emportée, transportée.

À cet instant, Nikki se sentait libre. Libérée de toute responsabilité. Libérée de tout contrôle. Libérée d'elle-même. Pivotant, elle s'accrocha à Rook pour sentir toutes les parties de son corps.

Avec une même passion, ils explorèrent leurs corps et, affamés l'un de l'autre, caressaient et mordaient pour étancher leur désir.

Nikki n'arrivait pas à croire que c'était déjà le matin. Comment le soleil pouvait-il être aussi éclatant alors que sa montre n'avait pas encore sonné? Ne l'avait-elle pas entendue? Elle plissa les yeux et comprit qu'elle voyait les projecteurs d'un hélicoptère de la police à travers les voiles des fenêtres. Elle écouta. Pas de sirène, pas de porte-voix, pas de Russe dans l'escalier de secours, et bientôt le bourdonnement de l'hélicoptère se tut, car il s'éloignait. Elle sourit. Le capitaine Montrose avait tenu parole et retiré la patrouille, mais elle n'avait pas mentionné la surveillance aérienne!

Elle roula sur le côté et regarda son réveil. Il affichait une heure trois. Impossible. Sa montre disait cinq heures vingt. La différence correspondait à la durée du black-out.

Rook inspira profondément et Nikki sentit sa poitrine gonfler contre son dos, puis le souffle frais de l'expiration contre sa nuque moite. Mon Dieu, il colle! Avec les fenêtres fermées, la chaleur était étouffante et une pellicule de sueur couvrait les corps nus. Elle songea à s'écarter pour laisser un peu d'air entre eux. Finalement, Nikki s'adossa à sa poitrine et à ses cuisses, profitant de cette proximité.

Jameson Rook.

Comment était-ce arrivé?

Depuis qu'on le lui avait collé dans les pattes pour qu'il puisse effectuer ses recherches, c'était une plaie pour elle. Et à présent, elle se retrouvait au lit avec lui, après une nuit d'amour. Et quelle nuit !

Si elle avait dû s'interroger elle-même, elle aurait été obligée d'avouer sous serment qu'il y avait eu une étincelle d'attraction dès leur première rencontre. Lui, bien entendu, n'avait jamais manifesté le moindre scrupule pour crier qu'il avait ses chances, caractéristique qui avait peut-être contribué à le rendre si pénible. Peut-être ? Mais ces vantardises de mâle n'avaient aucun poids face à une force bien plus puissante : ses dénégations à elle. Oui, il y avait toujours eu quelque chose et, à présent, elle comprenait que, plus elle y devenait sensible, plus elle le refoulait. Nikki se demandait si elle avait refoulé d'autres sentiments.

Non. Aucun.

Foutaises !

Sinon, pourquoi l'ex-maîtresse de Matthew Starr aurait-elle fait vibrer une telle corde sensible chez elle en disant que s'enferrer dans une relation qui ne menait nulle part, ce n'était qu'un moyen d'éviter les autres. Pourquoi lui aurait-elle demandé si elle comprenait de quoi elle parlait ?

Depuis sa thérapie, après le meurtre, Nikki savait qu'elle s'était construit une solide armure. Comme si elle avait eu besoin d'un psy pour lui apprendre un truc pareil. Ou pour l'avertir des dangers émotionnels qu'elle encourait à toujours différer ses besoins et, oui, ses désirs aussi, qu'elle enfermait soigneusement dans une zone interdite. Ses séances chez le psy remontaient à loin désormais, mais, dernièrement, Nikki s'était souvent demandé, lorsqu'elle dressait des barrières et se mettait en mode commando, s'il existait un point de non-retour, où l'on pouvait perdre une partie de sa personnalité que l'on avait mise à l'abri pour ne jamais plus la retrouver. Par exemple, que se passait-il lorsque l'armure que l'on s'était fabriquée pour protéger les points les plus vulnérables devenait si impénétrable que plus personne ne pouvait y accéder, pas même vous?

La reproduction du Sargent lui revint à l'esprit. Elle repensa aux fillettes insouciantes qui allumaient leurs lanternes de papier et se demandait ce qu'elles étaient devenues. Avaient-elles conservé leur innocence après avoir quitté leurs robes à ruban, perdu les rondeurs de leur cou et leur visage sans rides? Avaient-elles oublié le plaisir du jeu, le plaisir de marcher pieds nus dans l'herbe humide, tout simplement parce que c'était agréable? Avaient-elles conservé leur candeur, ou les événements avaient-ils envahi leur vie au point de les rendre méfiantes et prudentes? Avaient-elles, un siècle avant que Sting ne le chante, construit une forteresse autour de leur cœur[1]?

Avaient-elles des séances de sexe mouvementées avec un ancien des SEALs, rien que pour faire monter l'adrénaline? Ou avec des journalistes-vedettes qui fréquentaient Mick et Bono?

1. *Fortress around your Heart*, chanson de Sting sur l'album *The Dream of the Blue Turtles* en 1985. (NDT)

Sans comparer... Et pourquoi pas?... La différence avec Rook, c'est qu'il avait d'abord fait monter son adrénaline et que c'était pour cela qu'elle le désirait. Depuis la première fois qu'il l'avait fait rougir, son pouls n'avait fait que s'accélérer.

Était-ce pour cela que cette nuit avait été si fantastique?

Oui, il était un amant passionné, cela ne faisait aucun doute. Excitant et surprenant. Oui. Et tendre aussi, au bon moment, mais pas trop vite et pas trop, grâce à Dieu. Mais la différence avec Rook, c'était surtout qu'il était joueur.

Et qu'il lui donnait envie de jouer.

Rook lui donnait la permission de rire. Sa compagnie était ludique. Coucher avec lui, c'était tout sauf solennel et grave. Sa jovialité apportait de la gaîté dans son lit. *J'ai toujours mon armure*, pensa-t-elle, *mais cette nuit, du moins, Rook s'y est infiltré. Et m'a permis de m'y infiltrer.*

Nikki Heat avait découvert qu'elle pouvait être joueuse, elle aussi. Elle roula vers lui et glissa au fond du lit pour le lui prouver.

Le téléphone portable les réveilla. Nikki s'assit, essayant de s'orienter dans le soleil aveuglant.

Rook souleva la tête de l'oreiller.

— C'est quoi? Le coup de fil du matin?

— Non, il a déjà sonné, ton coup de fil du matin, monsieur.

Il reposa la tête sur l'oreiller, les yeux fermés.

— Et j'ai répondu.

Elle colla le téléphone à son oreille.

— Heat.

— Bonjour, Nikki. Je te réveille ?

C'était Lauren.

— Non, je suis levée.

Elle chercha sa montre sur la table de chevet. Sept heures trente. Nikki essaya de s'éclaircir les idées. Lorsque votre amie du service médicolégal vous téléphone de si bon matin, c'est rarement pour un appel de courtoisie.

— J'ai attendu sept heures.

— Ne t'inquiète pas, tout va bien. Je suis déjà habillée et j'ai fait ma gym, dit Nikki en regardant son corps nu dans le miroir.

— Euh…, pas tout à fait, dit Rook à voix basse.

— Oh ! on dirait que tu as de la compagnie. Nikki Heat, est-ce que tu as de la compagnie ?

— Non, tu as entendu la télé. Les publicités, c'est toujours trop fort.

Elle se tourna vers Rook et mit un doigt devant ses lèvres.

— Tu n'es pas seule !

Nikki s'empressa de changer de sujet.

— Qu'est-ce qui se passe, Lauren ?

— Je suis sur une scène de crime. Je te donne l'adresse.

— Un instant. Je vais chercher de quoi écrire.

Nikki alla vers la commode et attrapa un stylo. Elle n'avait pas trouvé de papier, si bien qu'elle feuilleta son exemplaire de *First Press*, avec Rook et Bono en couverture, et nota sur la publicité de vodka de la quatrième.

— Je t'écoute.

— Je suis à la fourrière, près du Javits Convention Center.

— Je la connais, c'est celle de la 38ᵉ Rue Ouest?

— Oui, numéro douze. Un conducteur de dépanneuse a trouvé un corps dans une voiture qu'il remorquait. C'est sous la juridiction du premier district, mais je pensais devoir t'appeler, parce que je suis sûre que tu voudras venir voir ça. J'ai trouvé un truc qui est peut-être en rapport avec l'affaire Matthew Starr.

— Quoi? Dis-moi!

Nikki entendait des voix en arrière-plan.

Le micro grésilla pendant que Lauren le couvrait pour parler à quelqu'un d'autre.

— Les policiers sur place sont salement pressés; alors, je dois y aller. Je t'attends là-bas.

Nikki raccrocha et vit Rook assis sur le bord du lit.

— Vous avez honte de moi, lieutenant Heat? dit-il en prenant de grands airs.

Nikki retrouvait un peu Grand Dam dans cet accent snob et théâtral.

— Tu couches avec moi, mais tu me caches aux yeux de tes amies de la haute. Je me sens… déclassé.

— Ça va avec le quartier.

Rook réfléchit un instant.

— Tu aurais pu lui dire que j'étais là pour assurer ta sécurité.

— Toi?

— Euh…, je t'ai couverte…

Il lui prit la main et l'attira vers lui, si bien qu'elle se tenait entre ses genoux.

— J'ai rendez-vous avec un cadavre.

Il lui passa les jambes autour de la taille et lui posa les mains sur les hanches.

— C'était bien, hier soir, tu ne trouves pas ?

— Si. Et tu sais quoi aussi ? C'était hier soir.

Elle alla vers l'armoire prendre des vêtements.

Rook partit à la chasse au taxi sur Park Avenue et arrêta un minivan qui roulait vers le nord.

Il ouvrit la porte pour Nikki qui lança un dernier regard derrière son épaule, craignant que le capitaine Montrose ait laissé un homme en uniforme et qu'on l'ait vue avec Jameson Rook.

— Tu cherches Pochenko ? demanda Rook.

— Pas vraiment. Vieille habitude.

Elle donna l'adresse de Rook à Tribeca au chauffeur.

— Qu'est-ce que tu fais ? On ne va pas à la fourrière ?

— Moi, je vais à la fourrière, toi, tu vas te changer chez toi.

— Merci, mais si tu me supportes comme ça, je garderai les mêmes vêtements aujourd'hui. Je préfère rester avec toi. Même si aller voir un cadavre, ce n'est pas le meilleur dénouement qui soit. Après une nuit pareille, le must à New York, ce serait de t'emmener prendre un brunch quelque part. Et faire semblant de noter ton numéro de téléphone.

— Alors, ça va changer. Je ne peux pas imaginer pire que de se ramener dans le même taxi sur une scène de crime, sous le nez de mes camarades, avec l'air de sortir du lit et un de nous deux qui porte les vêtements de la veille.

— On pourrait échanger nos vêtements. Ça, ce serait pire !

Il rit et lui prit la main. Elle retira la sienne.

— Tu as remarqué qu'on ne se tient pas souvent par la main, au boulot ? Ça empêche de dégainer.

Ils gardèrent le silence un moment. Lorsque le taxi traversa Houston Street, Rook dit :

— J'essaie de réfléchir. Je me suis mordu la langue quand tu m'as donné un coup dans la mâchoire, ou c'est toi ?

Cela leur valut un rapide coup d'œil du chauffeur dans le rétroviseur.

— Je vais faire cracher le labo pour avoir le rapport sur le jean de Pochenko, dit Heat.

— Je me souviens pas d'avoir été mordu, poursuivit Rook.

— Le black-out a sûrement mis le labo en retard, mais ça fait déjà assez longtemps que j'attends.

— Les choses vont vite, vite et fort...

— Je suis sûre que les fibres correspondent.

— Pourtant, ça laisse des souvenirs, une morsure...

— Je me fiche de la vidéo de surveillance ; il a dû entrer, je le parierais. Je sais qu'il apprécie les escaliers de secours.

— Je parle trop ? demanda Rook.

— Oui.

Deux minutes de silence bienvenu plus tard, Rook sortit du taxi devant chez lui.

— Quand vous serez prêt, retournez au poste et attendez-moi. Je vous y rejoindrai dès que j'en aurai terminé à la fourrière.

Il bouda comme un petit chien délaissé et commença à fermer la porte.

Elle la retint un instant.

— Au fait, oui, je vous ai mordu la langue.

Elle ferma la porte coulissante. Nikki le regarda qui souriait sur le trottoir par la vitre arrière.

Le lieutenant Heat présenta son badge au portail de la fourrière et, une fois qu'elle se fut enregistrée, le garde sortit de son petit bureau pour lui indiquer où se trouvait la camionnette du légiste, tout au bout du terrain. Nikki se retourna pour le remercier, mais il était déjà rentré et faisait gonfler ses manches devant l'air frais du climatiseur.

Encore bas dans le ciel, le soleil émergeait à peine du Javits Convention Center, mais Heat sentait déjà sa morsure quand elle marqua une pause pour respirer profondément et sacrifier à son rituel. Lorsqu'elle se sentit prête à rencontrer la victime, elle longea la rangée de voitures poussiéreuses, aux pare-brise badigeonnés au crayon gras. La camionnette du légiste et celle de la brigade scientifique étaient garées près d'une dépanneuse, toujours accrochée à un break Volvo gris métallisé assez neuf. Des techniciens en combinaison blanche couvraient la carrosserie de poudre noire.

En s'approchant, Nikki aperçut le corps d'une femme, affaissé sur le siège du conducteur, avec le sommet de la tête qui sortait par la porte ouverte.

— Désolée d'interrompre ta gymnastique matinale, dit Lauren Parry en sortant de l'arrière de la camionnette.

— On ne peut rien te cacher !

— Je t'avais dit que Jameson Rook était mettable.

Nikki sourit et hocha la tête, puisqu'elle était fichue.

— Alors, il est mettable ?

— Mieux que ça.

— Bien. Contente que tu profites enfin de la vie. Tes collègues m'ont dit que tu l'avais échappé belle, l'autre soir ?

— Oui, après Soho House, ça a été l'apocalypse.

Lauren s'approcha d'elle.

— Tu vas bien ?

— Mieux que l'autre ordure !

— Sacrée toi !

Lauren fronça les sourcils et écarta le col de chemisier de son amie pour examiner les hématomes sur son cou.

— Ouais, tu l'as vraiment échappé belle, ma fille. Vas-y doucement. J'ai assez de travail, je n'ai pas besoin de toi.

— Je vais voir ce que je peux faire, dit Nikki. C'est toi qui m'as sortie du lit. Vaudrait mieux que cela en vaille la peine. Qu'est-ce qu'on a ?

— Une inconnue. C'est le conducteur de la dépanneuse qui l'a découverte dans la voiture lorsqu'il est arrivé ici ce matin. Il a pensé qu'elle avait succombé à la chaleur.

— Une inconnue ? Dans une voiture ?

— Je comprends ton étonnement, mais on n'a pas trouvé de permis, pas de portefeuille, pas de plaques, pas de carte grise.

— Tu m'as dit que l'affaire était liée à Matthew Starr ?

— Ah ! une petite nuit de sexe, et voilà que madame devient impatiente !

— Petite ?

— Et vantarde, en plus !

La légiste tendit une paire de gants à Nikki. Pendant qu'elle les enfilait, Lauren retourna à l'arrière de son camion et revint avec un sac en plastique qu'elle prit par le coin et brandit sous le nez de Nikki.

Il contenait une bague.

Une bague hexagonale.

Une bague qui correspondait aux bleus découverts sur le torse de Matthew Starr.

Une bague qui aurait pu provoquer cette coupure sur le doigt de Vitya Pochenko.

— Alors, ça valait le coup ?

— Où t'as trouvé ça ?

— Je vais te montrer.

Lauren remit la bague dans le coffre des indices et conduisit Nikki vers la porte de la Volvo.

— Là, par terre, en dessous du siège avant.

Nikki examina le corps de la femme.

— C'est une bague d'homme, non ?

La légiste lui adressa un long regard grave.

— Je vais te montrer quelque chose.

Les deux femmes se penchèrent par la porte ouverte. À l'intérieur, une nuée de mouches bourdonnaient.

— Bon, on a une femme, cinquante, cinquante-cinq ans. Difficile d'être précis sur l'heure de la mort sans test au labo, car elle est restée long-temps dans la voiture, et par cette chaleur... À mon avis...

— Et tu ne te trompes jamais beaucoup...

— Merci. Si on se base sur le degré de putré-faction, je dirais, quatre jours, quatre jours et demi.

— Cause de la mort?

— Même sans la décoloration qui s'est pro-duite au fil des jours, ce n'est pas difficile de deviner ce qui s'est passé.

La femme avait une grosse masse de cheveux sur le visage. Avec sa petite règle métallique, Lauren écarta une mèche et découvrit le cou.

Lorsque Nikki vit l'hématome, elle avala sa salive et revit sa propre strangulation.

— Strangulation, dit-elle.

— Par une personne qui se tenait à l'arrière. Regarde, les doigts auraient pu se croiser.

— On dirait qu'elle s'est débattue comme un diable. Une des chaussures de la victime était défaite, et elle a les chevilles et les mollets cou-verts de griffures et de bleus, ce qui prouve qu'elle a donné des coups de pied sous le tableau de bord..., par là.

Le talon de la chaussure manquante était brisé sur le tableau de bord, au-dessus du compar-timent à gants.

— Je suppose que cette bague appartenait à celui qui l'a étranglée. Elle a dû la lui arracher pendant la bataille.

Nikki pensa aux derniers moments tragiques de cette femme et à sa lutte courageuse. Qu'elle soit une victime innocente, une criminelle victime d'un règlement de compte ou quelque chose entre les deux, c'était un être humain. Qui s'était débattu pour vivre. Nikki s'efforça de regarder son visage, ne serait-ce que pour rendre hommage à ce combat.

Elle vit quelque chose. Un souvenir que ni la mort ni le temps ne pouvait effacer. Des visages flous revenaient à son esprit. Des épicières, des caissières, d'anciennes institutrices, une serveuse à Boston... Mais rien de précis.

— Tu pourrais...

Nikki indiqua les cheveux de la femme. Avec sa règle, Lauren écarta la masse de cheveux du visage.

— Je crois que je l'ai déjà vue.

Heat fit passer son poids d'une jambe sur l'autre, s'éloigna d'un pas et inclina la tête pour se mettre dans l'axe du visage. Elle réfléchit. Elle la reconnaissait. Une photo pleine de grains, prise de biais, avec des meubles luxueux en arrière-plan, et la lithographie d'un ananas sur le mur. Il faudrait qu'elle vérifie pour s'en assurer, mais, en fait, elle l'aurait parié.

— Je crois l'avoir vue sur la vidéo de surveillance du Guilford. Le matin de la mort de Matthew Starr.

La sonnerie de son téléphone la fit sursauter.

— Devine où je me trouve ?

— Rook, ce n'est vraiment pas le moment !

197

— Je te donne un indice. Les Gars ont reçu un coup de fil à propos d'un cambriolage, cette nuit. Devine où ?

Des nuages lourds de menaces s'amoncelèrent autour d'elle.

— Chez Matthew Starr.

— Je suis dans le salon. Devine ? Toutes les toiles ont disparu !

11

Trente minutes plus tard, le lieutenant Heat sortait de l'ascenseur du Guilford au sixième et traversait le couloir pour rejoindre Raley qui se tenait devant la porte ouverte de l'appartement de Starr, à côté d'un policier en uniforme. La porte était déjà ornée du ruban jaune de rigueur. Des boîtes de plastique étaient empilées sur le tapis luxueux.

Raley la salua et souleva le ruban. Elle passa par-dessous.

— Mon Dieu! dit-elle en tournant sur elle-même au milieu du salon. Elle leva le nez en l'air pour contempler la hauteur de cathédrale, estomaquée parce ce qu'elle voyait. Sur les murs dénudés, il ne restait plus que les clous et les accroches.

Même s'il n'avait jamais été un véritable palais, ce petit Versailles, comme aimait l'appeler Matthew Starr, méritait sans doute le titre d'antichambre d'un musée, avec ses deux étages de tableaux de valeur, si disparates fussent-ils.

— C'est bizarre de voir comme une pièce change de taille quand on enlève tout des murs.

— Oui, je sais, dit Rook en s'approchant. Elle paraît plus grande.

— Ah bon ? Vous trouvez, j'aurais dit plus petite.

Il fronça les sourcils.

— Je suppose que la taille est une histoire d'appréciation personnelle.

Elle adressa un regard furtif disant « Ne vous emballez pas ! » à Rook et lui tourna le dos. Dans la manœuvre, elle était certaine d'avoir capté un échange de regards entendus entre Raley et Ochoa. Elle pensait en être certaine, du moins.

Elle s'efforça de se concentrer sur l'enquête.

— Ochoa, on est certain que Kimberly Starr et son fils étaient absents lorsque cela s'est produit ? demanda Nikki, voulant s'assurer qu'il n'y avait pas eu d'enlèvement.

— Le portier de jour m'a dit qu'elle était partie hier matin avec une valise à roulettes. Vers dix heures. Son fils l'accompagnait.

— Elle a dit où elle allait ?

— Il lui a commandé un taxi pour la gare de Grand Central. Il n'en sait pas plus.

— Raley, je sais qu'on a son numéro de portable. Retrouve-le-moi et vois si elle décroche. Et vas-y mollo en lui apprenant la nouvelle. Elle a eu une semaine difficile.

— Je m'y colle, dit Raley qui fit un signe de tête aux deux policiers sur le balcon. Pour être bien clair, c'est nous qui nous occupons de ça ? Ce n'est pourtant qu'un simple vol.

— J'espère bien que non, mais nous allons peut-être être obligés de coopérer. C'est sûr qu'il s'agit d'un vol, mais on ne peut pas exclure qu'il y ait des liens avec l'enquête pour homicide. Pas encore, de toute façon. Surtout depuis qu'on a découvert notre Jane Doe sur la vidéo de surveillance et la bague de Pochenko sur la scène de crime. Même un flic borné ferait la relation. Le problème, c'est de comprendre le comment et le pourquoi. Alors, soyez sympa avec la police de quartier. Ne trahissez pas notre poignée de main secrète quand même !

Les agents Gunther et Francis se montrèrent assez conciliants, mais ils n'avaient guère d'informations à partager. Les signes d'effraction étaient évidents : on avait utilisé des outils électriques puissants pour forcer la porte d'entrée et celle de l'appartement.

— En dehors de ça, c'est plutôt propre et net. Nos rats de laboratoire dégotteront peut-être quelque chose.

— Ouais, dit Gunther. Je crois qu'on devrait se séparer et aller frapper aux portes pour voir si quelqu'un a entendu du bruit cette nuit.

— Bonne idée, dit Heat.

— Il manque autre chose ? demanda Rook.

Nikki trouva la question judicieuse. Non Seulement il avait fait une intervention intelligente, mais il avait renoncé à ses insinuations d'adolescent boutonneux.

— On vérifie, dit Francis. On en saura plus lorsque madame Starr sera revenue, mais pour l'instant on a l'impression qu'il n'y a que les œuvres d'art.

Ensuite, Ochoa fit comme les autres : il contempla les murs nus.

— Mazette ! Et ça valait dans les combien, cette collection ?

— De cinquante à soixante millions de dollars, plus ou moins, répondit Nikki.

— En moins, ça, c'est sûr ! dit Rook.

Tandis que les techniciens examinaient l'appartement et que les officiers de police judiciaire interrogeaient les voisins, Nikki descendit parler au seul témoin oculaire, le gardien de nuit.

Henry attendait tranquillement avec un agent de patrouille sur le divan du hall. Nikki s'assit à côté du portier et lui demanda s'il allait bien. Il répondit oui sur le ton qu'il aurait employé pour dire que tout allait au plus mal. Le pauvre type avait répondu aux mêmes questions en appelant au poste, puis à la brigade, mais il se montra patient et coopératif avec Nikki, heureux de pouvoir soulager sa conscience.

La gigantesque panne de courant avait commencé pendant son service, vers neuf heures et quart. Henry était censé partir à minuit, mais son collègue avait appelé vers onze heures et annoncé qu'il ne pouvait pas venir, faute d'électricité. Nikki lui demanda le nom de l'homme, qu'elle nota. Tout était tranquille dans le hall, puisque l'ascenseur était en panne. Avec la chaleur, ceux qui étaient à l'intérieur y restaient, et les autres étaient coincés sur place. La cage d'escalier et le vestibule étaient équipés de veilleuses, mais le bâtiment ne possédait pas de génératrice.

Vers trois heures et demie du matin, une grosse camionnette s'était garée devant la porte. Henry avait pensé qu'il s'agissait d'un des véhicules des services d'électricité, car il leur ressemblait. Quatre hommes en salopettes en étaient sortis au même moment et s'étaient jetés sur lui.

Il n'avait pas vu d'armes, mais l'un d'eux lui avait flanqué un coup de poing dans le plexus lorsqu'il avait essayé de résister. Ils l'avaient entraîné dans le hall, lui avaient attaché les mains derrière le dos avec des liens en plastique et lui avaient lié les pieds.

Nikki voyait toujours des traces, sur sa peau brune, de l'adhésif gris pâle avec lequel on l'avait bâillonné. Ensuite, on lui avait confisqué son téléphone portable et on l'avait enfermé dans la petite cabine de tri du courrier.

Il ne pouvait pas donner de description précise des hommes, car il faisait sombre et tous portaient des casquettes. Nikki lui demanda s'il avait entendu des noms ou pouvait donner un indice sur les voix, graves, aiguës ou avec un accent. Il répondit que non, car aucun d'eux n'avait prononcé un mot. Pas le moindre mot.

Pas un mot. Des professionnels, pensa Nikki.

Henry dit les avoir entendus partir plus tard et remonter dans le véhicule. C'est à ce moment qu'il avait pu se dégager un peu et commencé à donner des coups dans la porte. Ses liens étaient trop serrés, si bien qu'il avait dû attendre qu'un appariteur vienne le libérer.

— Vous savez à quelle heure ils sont partis ?

— Je ne pourrais pas dire, mais quinze, vingt minutes avant que les lumières reviennent.

Elle nota : *Quinze, vingt minutes avant la fin du black-out, vers quatre heures*.

— Réfléchissez. Il est possible que vous vous trompiez à propos des horaires que vous m'avez donnés ?

— Non, lieutenant. Je sais qu'il était trois heures et demie lorsqu'ils sont arrivés, car, en voyant le camion, j'ai regardé ma montre.

— Bien, bien. C'est très utile. Mais ce qui m'étonne, c'est l'heure de leur départ. Le black-out s'est terminé à quatre heures et quart. S'ils sont partis quinze minutes avant la fin, cela ne leur laisse qu'une demi-heure sur place.

Il réfléchit à ce qu'elle disait et hocha la tête.

— Il est possible que vous vous soyez endormi ou que vous ayez perdu connaissance pendant un moment ? Ils sont peut-être partis plus tard que vous ne le pensez ?

— Oh ! croyez-moi, je suis resté bien éveillé pendant tout le temps. À réfléchir à un moyen de me sortir de là !

Au bord des larmes, le vieux portier marqua une pause.

— Vous allez bien ? Vous êtes sûr que vous ne voulez pas qu'on vous conduise à l'hôpital ? demanda Nikki en regardant l'officier de garde.

— Non, surtout pas, non. Ce n'est pas ça, je ne suis pas blessé. (Il détourna le visage.) Je suis portier de cet immeuble depuis plus de trente ans. Je n'ai jamais connu une semaine pareille. Monsieur Starr et sa pauvre famille… Vous avez parlé avec William, vous savez, le portier de jour. Il a toujours peur d'être renvoyé pour avoir laissé entrer ces types, ce jour-là. Et maintenant, c'est mon tour. Je sais que ce n'est pas le boulot le plus merveilleux du monde, mais cela signifie beaucoup pour moi. On a de sacrés personnages qui habitent ici, mais, pour la plupart, ils sont gentils avec moi. Et même autrement, je suis toujours fier de mes services.

Il garda le silence un instant, mais, lorsqu'il leva les yeux vers Nikki, il avait toujours les lèvres tremblantes.

— Je suis portier, c'est à moi de m'assurer que des malfaiteurs n'entrent pas dans le bâtiment.

Nikki lui posa la main sur l'épaule.

— Henry, ce n'est pas votre faute.

— Pas ma faute? C'était pendant mon service!

— Vous étiez dépassé par le nombre, vous n'êtes pas responsable. C'est vous, la victime. Vous avez fait de votre mieux.

Elle savait qu'il n'était qu'à demi convaincu et repensait aux événements de la nuit en se demandant comment il aurait dû réagir.

— Henry? On essaye toujours, lui dit-elle, une fois qu'elle eut récupéré son attention. On essaye toujours de tout contrôler, mais parfois les choses tournent mal et ce n'est pas notre faute.

Il hocha la tête et esquissa un sourire. Finalement, les mots que son thérapeute avait utilisés autrefois avec elle réconfortaient quelqu'un.

Elle s'arrangea pour qu'une patrouille le raccompagne chez lui.

De retour au poste, le lieutenant Heat dessina une ligne verticale rouge sur le tableau blanc afin de créer une nouvelle colonne pour l'enquête sur le vol.

Ensuite, elle reconstitua le fil des événements qui commençaient avec le départ de Kimberly Starr et de son fils, suivi du black-out, du coup de téléphone du second portier, de l'arrivée de la camionnette des voleurs et de leur départ juste avant la fin de la panne de courant.

Ensuite, elle traça une nouvelle ligne verticale rouge pour le meurtre de l'inconnue.

— Le tableau blanc commence à devenir trop petit, dit Rook.

— Je sais. Les crimes vont plus vite que leur résolution. Pour l'instant.

Nikki accrocha la photo de surveillance du hall qui montrait l'inconnue, juste à côté de la photo que Lauren avait prise une heure plus tôt à la fourrière.

— Ça, ça devrait nous mener quelque part.

— C'est quand même bizarre, dit Ochoa, qu'elle se soit trouvée dans le hall le jour de la mort de Starr.

Rook approcha une chaise et s'installa.

— Drôle de coïncidence.

— Drôle, oui. Coïncidence, non, répondit Heat. Bon, vous prenez toujours des notes pour votre article sur les meurtres ? Eh bien, marquez ça : les coïncidences sont l'ennemi de l'enquêteur. Vous savez pourquoi ? Parce qu'elles n'existent pas. Trouver la raison qui prouve qu'il ne s'agit pas d'une coïncidence, et vous vous êtes sorti les mains des menottes, car vous allez bientôt pouvoir, les mettre à quelqu'un d'autre.

— Une identité pour notre inconnue ? demanda Ochoa.

— Non. Tous ses effets personnels avaient disparu : carte grise, plaques d'immatriculation, permis. Une équipe de la 32e Rue fouille dans les poubelles dans tout le quartier entre la 32e Rue Ouest et Lenox Avenue, là où on a retrouvé la voiture. Une fois qu'on connaîtra son identité, on verra ce qu'on peut faire avec l'immat.

— D'accord, dit Ochoa. Et nos fibres, pourquoi les tests sont si en retard ?

— Le black-out. J'ai demandé au capitaine de mettre un énorme pétard sous le tabouret de nos maîtres du laboratoire.

Nikki accrocha une photo de la bague hexagonale que Lauren avait trouvée, juste à côté de celle des bleus du corps de Matthew Starr, et se demanda si c'était l'œuvre de Pochenko.

— Je veux ces résultats pour hier !

Raley rejoignit le cercle.

— J'ai réussi à contacter Kimberly Starr dans le Connecticut sur son téléphone portable. Elle m'a dit qu'il faisait une chaleur étouffante en ville et qu'elle avait passé la nuit avec son fils chez des amis, dans une maison de vacances à Westport. Un endroit appelé Combo Beach.

— C'est un alibi ? demanda Nikki. En fait, on va se partager la liste de tous ceux que nous avons interrogés pour le meurtre et vérifier tous les alibis. Et surtout, n'oubliez pas le portier de la seconde équipe qui n'a pas pris son service.

Nikki cocha le sujet sur son carnet et se tourna vers Raley.

— Comment a-t-elle réagi à la nouvelle du cambriolage ?

— Effarée ! Je suis encore sourd d'une oreille tellement elle a crié dans le téléphone. Mais, comme vous l'avez demandé, je lui ai pas parlé des tableaux, je lui ai simplement annoncé qu'on s'était introduit chez elle par effraction pendant le black-out.

Kimberly Starr allait louer une voiture avec chauffeur pour qu'on la ramène au Guilford et avait promis d'appeler dès son arrivée afin qu'ils puissent s'y retrouver.

— Beau travail, Raley. Je veux que l'un de nous soit présent lorsqu'elle découvrira le spectacle.

— Eh bien, il a intérêt à porter des bouchons d'oreilles !

— Elle ne sera peut-être pas si perturbée, dit Rook. La collection devait être assurée.

— Je vais passer un coup de téléphone à Noah Paxton sur-le-champ, dit Nikki.

— S'il y a une bonne assurance, elle sera peut-être même contente. Pourtant, avec toutes ses cicatrices sur la figure, je me demande comment vous allez pouvoir lui annoncer ça !

Ochoa confirma qu'il n'y avait aucune vidéo du cambriolage à cause du black-out, mais précisa que Gunther, Francis et leur équipe frappaient toujours aux portes des voisins.

— Par chance, ils ne pourront plus prétexter l'atteinte à la vie privée avec les corps qui volent par les fenêtres et soixante millions de dollars qui s'évaporent.

Ne voulant pas prendre le risque que Kimberly Starr arrive à l'appartement avant elle, Nikki alla attendre devant la scène de crime avec Rook.

— Vous savez, dit Rook en entrant dans le salon, on devrait garder une réserve de ruban jaune sous la main dans le couloir du placard !

Nikki avait une autre raison d'arriver de bonne heure. Elle voulait rencontrer les techniciens de la scientifique qui semblaient ne jamais avoir envie de parler aux personnes vivantes. Même s'ils avaient toujours les yeux fixés sur sa poitrine ! Elle trouva celui qu'elle voulait à genoux, en train de récolter à la pince à épiler une précieuse poussière sur le tapis du salon.

— Vous cherchez vos lentilles de contact ?

Il se retourna vers elle.

— Je porte des lunettes.

— Je plaisantais.

— Oh !

Il se leva et regarda sa poitrine.

— Je vous ai vu travailler sur le meurtre, ici, il y a quelques jours.

— Ah bon ?

— Oui, oui, Tim... (Le visage du technicien rougit sous les taches de rousseur.) Et je me demandais si je pouvais vous poser quelques questions.

— Bien sûr.

— À propos de l'accès à cet appartement. Plus précisément, quelqu'un aurait-il pu s'introduire par l'escalier de secours ?

— Ah ! là, la réponse est non.

— Non ? Vous avez l'air bien sûr de vous.

— Parce que c'est le cas.

Tim conduisit Nikki et Rook vers le couloir de la chambre où deux fenêtres donnaient sur l'escalier d'incendie.

— Cela fait partie de la routine d'examiner tous les points d'entrée possibles. Vous voyez, ici ? C'est contraire aux règlements, mais ces fenêtres ont été peintes fermées, et elles sont bloquées depuis des années. Je peux vous dire combien de temps, si vous voulez que je vérifie au laboratoire, mais pour notre besoin, il suffit de savoir qu'elles n'ont pas été ouvertes cette semaine.

Nikki se pencha vers le rebord de la fenêtre pour vérifier.

— Vous avez raison.

— Pour moi, la science, je préfère penser que ce n'est pas une question de tort ou de raison, mais d'analyse approfondie.

— Bien dit, répondit Nikki. Et vous avez cherché les empreintes ?

— Non, cela semblait improductif, puisqu'on n'avait pas pu ouvrir.

— Je veux dire à l'extérieur, au cas où quelqu'un aurait ignoré ce détail.

Le visage du technicien s'affaissa. Il regarda la vitre. Le rose de ses joues devint écarlate, et les taches de rousseur lui donnaient un air lunaire.

Le portable de Nikki sonna et elle s'écarta pour recevoir l'appel. C'était Noah Paxton.

— Merci de m'avoir rappelée.

— Je me demandais si vous n'étiez pas fâchée. Cela fait longtemps que vous ne m'avez pas parlé !

Elle se mit à rire.

— Depuis hier, lorsque j'ai interrompu votre repas sur le pouce.

Rook avait dû l'entendre rire, car il pointa son nez dans le couloir pour l'épier. Elle se retourna et s'éloigna de quelques pas, n'ayant nul besoin d'être surveillée, tout en le gardant à la périphérie de son regard.

— Vous voyez, presque vingt-deux heures. De quoi vous rendre paranoïaque. Alors, qu'est-ce qui vous arrive, cette fois ?

Heat lui dit que la collection d'œuvres d'art s'était envolée. La nouvelle fut suivie d'un long silence.

— Vous êtes toujours là ? demanda-t-elle.

— Oui. Ce n'est pas une plaisanterie ? Vous ne plaisanteriez pas avec un sujet pareil.

— Noah, je suis dans le salon, les murs sont nus.

Un autre long silence avant qu'il s'éclaircisse la gorge.

— Lieutenant Heat, je peux vous confier quelque chose de personnel ?

— Je vous écoute.

— Vous avez déjà reçu un choc, cru que vous n'arriveriez jamais à vous en remettre, commencé à sortir la tête de l'eau et ensuite... Excusez-moi. (Elle l'entendit avaler quelque chose.) Alors, on se démène, on entrevoit une solution, et là, sorti de nulle part, un autre désastre, et encore un autre... Il y a un moment où on se dit, bon, allez, ça suffit, au diable... On a envie de tout laisser tomber. Pas seulement le boulot, la vie qui va avec. Devenir un de ces types qui fait des sandwichs sur la côte du New Jersey dans une cahute ou qui loue des hula hoops ou des vélos.

— C'est à ça que vous pensez ?

— Tout le temps. En ce moment, surtout. (Il soupira et jura dans sa barbe.) Alors, où vous en êtes, vous ? Vous avez des pistes ?

— On verra, dit-elle, ne dérogeant pas à la règle selon laquelle elle était la seule à poser des questions lors d'un interrogatoire. Je suppose que vous êtes en mesure de me dire où vous vous trouviez hier soir.

— Dites donc, vous allez droit au but !

— J'aimerais que vous en fassiez autant.

Nikki attendit, car elle connaissait bien ces petits pas de danse : résister, puis appuyer pour faire pression.

— Je ne devrais pas être furieux, je sais, c'est votre travail, lieutenant, mais voyons…

Elle laissa agir le silence glacial et obtint la reddition.

— Hier soir, je donnais mon cours hebdomadaire à l'Université de Westchester, à Valhalla.

— Je peux vérifier ?

— Je me trouvais face à vingt-cinq étudiants en formation professionnelle. Si cela se trouve, il y en a un ou deux qui m'ont remarqué !

— Et ensuite ?

— Je suis rentré chez moi pour passer une nuit à boire de la bière en regardant les Yankees dans mon fief habituel.

Elle demanda le nom du bar et le nota.

— Encore une question, et je vous laisse.

— Ça m'étonnerait.

— Les toiles étaient-elles assurées ?

— Non. Elles l'ont été, bien sûr, mais quand les vautours ont commencé à rôder, Matthew a résilié la police. Il disait qu'il ne voulait pas continuer à payer des petites fortunes pour protéger des biens qui finiraient dans les mains des créanciers.

À présent, c'était à Nikki de garder le silence.

— Lieutenant ?

— Oui, je réfléchis. Kimberly Starr va arriver d'un instant à l'autre. Savait-elle que l'assurance avait été résiliée ?

— Oui, elle l'a découvert le soir où Matthew Starr lui a annoncé qu'il avait résilié son assurance vie. Je n'aimerais pas être à votre place dans les prochaines minutes. Bonne chance !

Raley ne plaisantait pas à propos des bouchons d'oreilles ! Lorsque Kimberly Starr entra dans l'appartement, elle poussa un hurlement à vous rompre les tympans. Elle semblait déjà décomposée en sortant de l'ascenseur et poussa un petit gémissement en voyant le bois de la porte sur le tapis du corridor.

Nikki voulut la prendre par le bras, mais elle la repoussa et le gémissement se transforma en un cri tout droit sorti d'un film d'horreur des années 1950.

Nikki avait mal pour elle, tandis que Kimberly laissait tomber son sac à main par terre et hurlait de nouveau. Refusant toute aide, elle tendit le bras devant elle quand Nikki essaya de s'approcher.

Lorsque Kimberly cessa enfin de crier, elle s'effondra sur le divan en murmurant : « Non, non, non… » Elle leva la tête et pivota pour observer toute la pièce, sur ses deux étages.

— Qu'est-ce que je vais devoir encore supporter ? Quelqu'un peut me dire ce que je vais devoir encore supporter ? Qui se cache derrière tout cela ? Qui ?

La voix encore rauque d'avoir tant crié, elle poursuivit sur le même registre, se lançant dans une litanie à laquelle toute âme compatissante ou censée aurait eu bien tort de répondre. Ils attendaient qu'elle se calme.

Rook quitta la pièce et revint avec un verre d'eau que Kimberly avala. Elle avait bu la moitié du verre lorsqu'elle commença à s'étouffer et recracha sur le tapis, toussant et sifflant, jusqu'à ce qu'elle finisse par éclater en larmes. Nikki s'installa à côté d'elle sans essayer de la toucher. Un peu plus tard, Kimberly se retourna et, secouée de sanglots, s'enterra la tête dans les mains.

De longues minutes plus tard, sans leur adresser le moindre regard, Kimberly ramassa son sac, en sortit un petit flacon de médicaments et avala une pilule avec le reste de son verre. Elle se moucha, en vain, s'assit en tortillant son mouchoir, dans la même attitude que quelques jours plus tôt, lorsqu'on lui avait annoncé qu'il s'agissait d'un meurtre.

— Madame Starr ? (Heat avait à peine murmuré, mais Kimberly sursauta.) Il faudra que je vous pose quelques questions, mais cela peut attendre.

— Merci, chuchota-t-elle.

— Quand vous en aurez la force, dans la journée j'espère, est-ce que vous pourriez prendre la peine de vérifier qu'on n'a rien emporté d'autre ?

Un autre hochement de tête. Un autre murmure.

— Oui.

Durant le court trajet qui les ramena au poste, Rook dit :

— Je ne plaisantais qu'à moitié ce matin en vous offrant un brunch. Que diriez-vous d'un dîner ?

— Je dirais que vous y allez en force.

— Voyons, vous n'avez pas passé une bonne soirée hier ?

— Non, j'ai passé une excellente soirée.

— Alors, quel est le problème ?

— Il n'y a pas de problème. Inutile d'en créer un en mélangeant les relations et le travail, d'accord ? Je ne sais pas si vous l'avez remarqué, je n'ai pas un, mais deux homicides sur le dos, et maintenant un vol de millions et de millions de tableaux.

Nikki gara la Crown Victoria en double file entre deux voitures de police bleues et blanches devant le poste de la 82ᵉ Rue. Ils descendirent de voiture, et Rook lui cria par-dessus le toit brûlant.

— Comment vous faites pour avoir des relations avec ce travail ?

215

— Je n'en ai pas. Retenez bien ça.

Aussitôt, Ochoa se mit à crier :

— Ne fermez pas, lieutenant !

Raley et Ochoa accouraient vers eux. Quatre policiers en uniforme tentaient de les rattraper.

— Qu'est-ce que vous avez ? demanda Heat à Raley qui s'approchait de la porte.

— Ils ont trouvé quelque chose en faisant du porte-à-porte au Guilford, dit Ochoa.

— Un témoin oculaire qui revenait d'un voyage d'affaires a vu des types qui quittaient l'immeuble vers quatre heures, ce matin, poursuivit Raley. Il a trouvé ça bizarre et il a relevé le numéro de la plaque.

— Et il n'a pas appelé ?

— Mon Dieu, vous êtes naïf, dit Ochoa. Bon, on a vérifié et le camion est enregistré à une adresse de Long Island.

Il tendit un papier que Nikki lui arracha des mains.

— Entassez-vous, dit-elle.

Mais les Gars savaient que la voiture était spacieuse et ils avaient déjà un pied à l'intérieur. Nikki mit le contact, alluma la rampe et fonça.

Rook bouclait encore sa ceinture lorsqu'elle brancha la sirène en arrivant à Columbus Avenue.

12

Dans un silence tendu, Rook et les trois policiers fonçaient au centre du carrefour embouteillé donnant accès au pont de la 59ᵉ Rue. Nikki avait demandé à Ochoa de signaler leur trajet à l'avance, et, lorsqu'ils approchèrent de la ligne aérienne de Roosevelt Island, les agents de la circulation avaient déjà bloqué toutes les voies. Le pont lui appartenait, à elle et aux deux voitures de patrouille qui l'escortaient. Après avoir passé Queensboro Plaza, ils coupèrent les sirènes pour éviter de se faire remarquer et tournèrent après Northern Boulevard. L'adresse était celle d'un vendeur de pièces automobiles dans une zone industrielle, proche de la gare de triage. Sous la ligne aérienne de la 13ᵉ Avenue, ils repérèrent le petit groupe de voitures de patrouille du district de Long Island qui attendait déjà, un pâté d'immeubles au sud du bâtiment.

Nikki sortit et salua le lieutenant Marr de la 108ᵉ Rue. Précis et détendu, Marr avait une posture militaire. Il assura au lieutenant Heat qu'elle était responsable de l'opération, mais semblait impatient de décrire la logistique qu'il avait mise en place. Ils se rassemblèrent autour du capot de son véhicule et étalèrent un plan du quartier. L'atelier était déjà entouré d'un cercle rouge, et Marr dessina des croix bleues aux intersections avec les pâtés d'immeubles alentour pour indiquer la position des autres véhicules de patrouille, qui fermaient toutes les issues que les suspects auraient pu emprunter.

— Personne ne sortira d'ici, à moins qu'il ne lui pousse des ailes ! De toute façon, j'ai quelques bons chasseurs de canards qui n'attendent que ça !

— Et le bâtiment en lui-même ?

— Standard, pour le quartier.

Il sortit un plan d'architecte de la base de données de la région.

— Un seul étage, des cubes de briques double hauteur, en fait. Les bureaux sont de ce côté. Les toilettes, au fond. Les entrepôts, ici. Je n'ai pas besoin de vous dire que les entrepôts sont de vrais pièges, des coins et des recoins, pas d'éclairage pour ainsi dire. Alors, il faudra faire gaffe à sa tête. La porte est là, à l'avant, et il s'en trouve une autre près des engins. Trois rideaux d'acier, deux dépanneuses dans l'angle du parking, et une cour à l'arrière.

— Les clôtures ?

— Fermées par des chaînes. Des barbelés tout autour, sur le toit aussi.

Nikki passa le doigt le long d'une ligne.

— Qu'est-ce qu'on a de l'autre côté de la clôture ?

Le lieutenant sourit.

— Des chasseurs de canards.

Ils se donnèrent cinq minutes avant le début de l'assaut, enfilèrent leur tenue de protection et retournèrent dans les voitures. Deux minutes avant la fin du compte à rebours, Marr s'approcha de la vitre de Heat.

— Mon éclaireur me dit que le rideau de fer le plus proche est levé. Je suppose que vous voulez entrer la première ?

— Oui, merci.

— Je vous couvrirai, alors. (Il regarda sa montre d'un geste aussi neutre que s'il attendait l'autobus.) On m'a aussi signalé que le camion avec vos plaques était dans la cour.

Nikki sentit son cœur s'accélérer de quelques battements.

— Bonne nouvelle.

— Ces toiles, elles ont de la valeur ?

— Sans doute assez pour payer les intérêts d'un jour d'emprunt de Wall Street.

— Alors, espérons que personne n'y fera de trou aujourd'hui, répondit le lieutenant avant de remonter dans sa voiture.

Ochoa fit craquer ses articulations sur la banquette arrière.

— Ne vous en faites pas, si le Russe est là, on l'aura !

— Je ne suis pas inquiète.

Dans son rétroviseur, elle vit que Raley fermait à demi ses paupières et se demanda une fois de plus s'il essayait de se détendre ou s'il priait. Elle se tourna vers Rook.

— Rook…

— Je sais, je sais, je dois rester dans la voiture !

— En fait, non, dehors…

— Quoi ? Vous voulez me faire cuire en plein soleil ?

— Ne me laissez pas compter jusqu'à trois, parce que je vous colle à terre.

Ochoa regarda sa montre.

— Ça approche !

Heat lança un regard insistant à Rook. Il sortit et claqua la portière derrière lui. Nikki regarda la voiture à côté de la sienne au moment où le lieutenant Marr prenait son micro. Sur leur fréquence, elle entendit un « Feu vert à toutes les unités » très posé.

— Allez, on va voir l'exposition !

Et elle accéléra.

Nikki sentit son estomac se nouer lorsqu'elle passa l'angle et longea l'immeuble. Elle savait depuis longtemps que l'on pouvait toujours se raconter n'importe quelles balivernes pour se calmer ; les glandes surrénales tenaient toujours les commandes. Une inspiration profonde tout à fait consciente compensa un peu le manque de souffle qui l'avait saisie. Ensuite, Nikki trouva l'équilibre idéal entre tension et concentration.

Devant elle, une formation de voitures de police remontait la rue en sens inverse ; le mécanisme de pinces élaboré par Marr se mettait en place. Sur sa droite, l'atelier approchait vite. Le volet roulant du garage était toujours ouvert. Heat freina et bifurqua. La Crown Victoria rebondit sur la pente raide de la rampe et oscillait toujours sur ses suspensions lorsqu'elle fonça au milieu du garage et s'arrêta dans un crissement de pneus. Les étincelles projetées par les roues se réfléchirent sur les visages ahuris des quelques hommes qui se trouvaient à l'intérieur.

Nikki les avait déjà comptés lorsqu'elle mit la main sur la porte.

— Ils sont cinq !

— Roger, dirent les Gars à l'unisson.

— Police, personne ne bouge ! Mains en l'air ! cria-t-elle en sortant de la voiture.

Elle entendit les renforts qui arrivaient derrière elle, mais ne se retourna pas.

Sur sa droite, deux ouvriers en salopette poussiéreuse, portant des masques blancs de peintre, lâchèrent les ponceuses à bande avec lesquelles ils travaillaient sur une vieille LeBaron et levèrent les mains. De l'autre côté du garage, sur la gauche, à une petite table juste en dehors de la réserve, trois hommes levèrent le nez de leur jeu de cartes. Ils n'avaient pas l'air conciliant.

— Faites attention aux joueurs de cartes, les Gars, dit-elle doucement. J'ai dit mains en l'air ! Maintenant !

Comme si son dernier mot était un pistolet de départ, les types se dispersèrent dans toutes les directions. À la périphérie, Nikki voyait déjà les hommes en uniforme qui menottaient les deux ponceurs. Dégagée de cette tâche, elle se précipita vers un individu en tenue de motard qui courait le long du mur en direction du bureau.

— Ochoa ! cria-t-elle tout en le poursuivant, et elle indiqua le type qui tentait de filer par la porte arrière.

— Je prends la chemise verte! cria Raley en courant vers celui qui voulait s'enfuir par la porte latérale.

Il n'avait pas fini sa phrase que le type ouvrait déjà la porte. Heat était trop loin pour le voir, mais elle entendit un chœur de : « Police, on ne bouge plus! » venant des hommes en uniforme qui attendaient à l'extérieur.

Le motard qu'elle poursuivait n'était que muscles et ventre à bière. Si rapide que fût Nikki, il avait la voie libre et elle devait louvoyer au milieu des armoires à outils et des pare-chocs brisés. À trois mètres du bureau, la queue de cheval grisonnante fut la dernière chose qu'elle vit de lui avant que la porte ne se ferme. Elle essaya la poignée, qui refusa de tourner. Elle entendit un verrou qu'on glissait.

— Écartez-vous, lieutenant!

Marr, toujours aussi calme, était déjà derrière elle, accompagné de deux hommes en uniforme casqués, portant des lunettes de protection et un bélier.

Le lieutenant s'écarta et les deux uniformes commencèrent à défoncer la porte. Le bélier heurta le verrou avec un petit bruit d'explosion, et la porte s'ouvrit.

— Couvrez-moi! cria Heat.

Elle entra dans le bureau, arme à la main. Deux coups de feu retentirent dans la petite pièce, et une balle alla s'enfoncer dans l'encadrement de la porte en face d'elle. Nikki se retourna en s'appuyant le dos contre le mur de brique.

— Vous êtes blessée? demanda Marr.

222

Elle fit signe que non et ferma brièvement les yeux pour avoir une image photographique de cet instant. Des flammes de canon venant d'en haut. Une fenêtre sur le mur. Mais le motard était monté sur le bureau et tendait le bras vers le haut. Un carré noir dans le plafond au-dessus de lui.

— Il s'échappe par le toit ! cria-t-elle.

Elle traversa le garage en courant pour aller vers la cour où Ochoa tenait en respect un homme allongé et menotté.

— Au-dessus de votre tête, Ochoa, on a un singe !

Heat fit le tour du bâtiment, les yeux en l'air. Elle s'arrêta dans l'espace entre la carrosserie et l'atelier des pare-brise. Un petit morceau de tissu était accroché aux fils barbelés du toit. Nikki alla se placer juste en dessous et regarda en bas. Entre ses chaussures, deux taches de sang frais étincelaient.

Elle se retourna et croisa le regard de Raley dans la cour. Elle lui fit un signe lui indiquant que le motard venait de sauter sur le toit d'à côté avant d'aller se poster près du portail à l'angle du bâtiment. Heat passa la tête dans l'angle et recula. Le trottoir était dégagé. Son bonhomme hésiterait à emprunter la porte d'entrée et resterait là où il était aussi longtemps qu'il le pourrait avant de descendre.

En longeant la façade de l'atelier pare-brise, elle se réjouit que la scène se passe dans une zone industrielle, par un jour de canicule, de surcroît, ce qui lui évitait d'avoir à s'occuper des passants. La fin du bâtiment coïncidait avec l'angle de la rue. Elle s'aplatit contre le mur et sentit la chaleur du ciment contre sa nuque, au-dessus de son gilet. Nikki regarda de l'autre côté du bâtiment. Au milieu du pâté de maisons, le motard descendait le long d'une gouttière. Les renforts qui arrivaient avaient un grand immeuble de retard. Le motard se retenait des deux mains pour éviter de glisser. Si elle attendait, il aurait bientôt une main libre… et armée.

Heat pivota, arme en position.

— Police ! On ne bouge plus !

Elle n'en croyait pas ses yeux. Rook déboulait sur le trottoir entre elle et le motard.

— C'est moi !

— Dégagez ! hurla-t-elle en lui faisant signe de s'écarter.

Rook se retourna. Il aperçut l'homme qui descendait le long du tuyau, mais cette fois il ne se tenait plus qu'à une main. Heat se réfugia derrière le mur et tira ; la balle alla se perdre dans un tas de palettes de bois.

Elle entendit des bruits de bottes sur le trottoir, une injure et le tintement du métal sur le béton. L'arme.

Elle jeta de nouveau un coup d'œil. De dos, le motard se penchait pour ramasser le pistolet. Elle sortit de son abri, le Sig en position devant elle.

— On ne bouge plus !

À cet instant, Rook se jeta sur l'homme et le lui cacha. Nikki perdit sa cible facile tandis que les deux hommes roulaient à terre. Elle courut vers eux, suivie par Raley et les renforts. Au moment où elle arriva, Rook roulait au-dessus du type et lui braquait le pistolet sur le visage.

— Allez-y, je manque de pratique ! dit-il.

Après avoir enfourné le motard dans une voiture de patrouille pour son transport au commissariat de Manhattan, Heat, Raley, Rook et les policiers en uniforme écumèrent l'atelier de carrosserie. Rook essaya de lui dire quelques mots, mais Nikki, furieuse, lui tournait volontairement le dos.

Le lieutenant Marr prenait des notes pour son rapport.

— J'espère que vous ne m'en voudrez pas d'utiliser votre capot comme un bureau.

— Il a vu pire ! dit-elle. On a eu tout le monde ?

— Et un peu ! Nos deux lapins sont menottés et bouclés. Les deux, là, dit-il en montrant les ponceurs, ils ont l'air réglos. Leur plus gros problème, c'est qu'ils vont perdre leur boulot dès demain. Bravo pour le motard !

— Merci. Et merci pour les renforts. Je vous revaudrai ça.

Il haussa les épaules.

— Ce qui me plaît, c'est de savoir que les innocents rentrent tranquilles pour aller dîner ce soir.

Il posa son clipboard sur le capot.

Marr et Heat conduisirent les autres dans la cour où le soleil qui se reflétait sur le camion diffusait une chaleur de four à pizza. Le lieutenant donna un ordre, et un des agents monta sur le pare-chocs arrière et ouvrit les portes. Le cœur de Nikki se serra.

En dehors de quelques couvertures, il était vide.

13

Dans la salle d'interrogatoire, Brian Daniels, le motard, semblait plus s'intéresser à son bandage sur le bras qu'au lieutenant Heat.

— J'attends, dit-elle.

Toujours indifférent, il se tortillait en posant le menton sur son épaule pour regarder le bandage sous la manche déchirée de son t-shirt.

— Ce truc saigne toujours ? demanda-t-il.

Il se tortilla encore pour regarder dans le miroir. Comme il était trop loin, il renonça et s'adossa à sa chaise en plastique.

— Où sont passées les peintures, Brian ?

— Doc !

Il secoua ses cheveux gris métallique. Lorsqu'on l'avait arrêté, on lui avait enlevé l'élastique de sa queue de cheval et ses cheveux pendaient dans son dos, telle une cascade polluée.

— Brian, c'est pour le fisc et la carte grise. Appelez-moi Doc.

Elle se demandait depuis quand ce genre de merdeux payait ses impôts et son permis. Mais Nikki garda ses pensées pour elle.

— Après avoir quitté le Guilford, hier soir, où avez-vous emporté la collection ?

— Je ne sais pas de quoi vous parlez, ma petite dame.

— Je parle de ce qui se trouvait dans le camion.

— Quoi ? Les couvertures ? Elles sont à vous !

Il rit d'un ton méprisant et se tortilla une fois de plus pour examiner les égratignures du fil barbelé.

— Où étiez-vous la nuit dernière entre minuit et quatre heures du matin ?

— Merde ! C'était mon t-shirt préféré !

— Vous savez quoi, Doc ? Vous n'êtes pas seulement un truand, vous êtes un idiot. Après le petit numéro de ce matin, il y a assez de charges contre vous pour que votre séjour à Sing Sing ressemble à un week-end de luxe au Four Seasons.

— Et ?

— Et vous voulez passer devant le tribunal pour prendre le max ? Continuez à vous conduire comme un crétin. (Nikki Heat se leva.) Bon, je vais vous laisser un peu de temps pour y réfléchir. (Elle souleva son dossier.) À en juger par ce truc, vous savez de quoi je parle, cette fois.

Elle le laissa dans la pièce pour qu'il puisse penser à son avenir.

Lorsqu'elle entra, Rook était amorphe dans le bureau, et visiblement mécontent.

— Hé ! Merci de m'avoir laissé dans la ville pittoresque de Long Island !

— Pas maintenant, Rook, dit-elle en se dirigeant vers son bureau.

— J'ai dû me payer tout le trajet à l'arrière d'une voiture de patrouille. Vous savez ce que ça fait ? On me regardait comme si on m'avait arrêté ! J'ai même été obligé de saluer tout le monde, comme la reine d'Angleterre, pour prouver que je n'étais pas menotté.

— Je l'ai fait pour vous protéger.

— De quoi ?

— De moi !

— Pourquoi ?

— Commençons par refus d'obtempérer.

— J'en avais assez d'être tout seul. Je croyais que vous aviez terminé, alors, je suis venu voir comment ça se passait.

— Et vous vous êtes interposé entre moi et mon suspect !

— Et un peu que je me suis interposé. Ce type essayait de vous tuer !

— C'est moi, la police. Les criminels nous tirent dessus. (Elle trouva le dossier qu'elle cherchait et referma brusquement le tiroir.) Vous avez de la chance de ne pas avoir été blessé.

— J'avais un gilet. D'ailleurs, je me demande comment vous pouvez supporter ces trucs ! C'est oppressant, surtout avec un temps si humide.

Ochoa arriva, tapotant son carnet de notes contre sa lèvre supérieure.

— On n'a trouvé aucune faille nulle part. J'ai vérifié tous les alibis. Tout colle.

— Kimberly Starr aussi ? demanda Heat.

— C'est un double alibi. Elle était dans le Connecticut avec son docteur Folamour. Alors, ils sont hors du coup, tous les deux. (Il ferma son carnet et se tourna vers Rook.) Hé! mec, vous pouvez répéter ce que vous avez dit quand vous étiez sur ce type?

Rook regarda Nikki et répondit :

— Inutile de parler de ça.

Mais Ochoa poursuivit d'une voix rauque :

— Allez-y, je manque de pratique! C'est pour faire cool, ou quoi?

— Ouais, dit Heat. Rook se prend pour Dirty Jamie.

Le téléphone sonna sur son bureau. Elle décrocha.

— Heat.

— C'est moi, Raley. Il est là.

— J'arrive.

Le vieux portier se trouvait avec Nikki, Rook et les Gars dans la salle d'observation, derrière le miroir sans tain et regardait les hommes.

— Prenez votre temps, Henry.

Il avança d'un pas et ôta ses lunettes pour les nettoyer.

— C'est difficile. Comme je l'ai dit, il faisait noir et ils portaient des casquettes.

Dans l'autre pièce, six hommes attendaient face au miroir, parmi lesquels Brian « Doc » Daniels, ainsi que deux autres hommes arrêtés dans l'atelier.

— Ne vous pressez pas, dites-nous simplement s'il y en a un qui vous dit quelque chose. Ou non.

Henry chaussa de nouveau ses lunettes. Quelques instants s'écoulèrent.

— Je crois que j'en reconnais un.

— Vous croyez, ou vous en êtes sûr ? demanda Nikki qui trop souvent avait vu le désespoir ou le besoin de vengeance pousser à de mauvais choix. Vous devez en être certain.

— Hum, hum. Oui.

— Lequel.

— Vous voyez le type mal soigné avec le bandage et les cheveux gris.

— Oui.

— C'est celui qui se trouve à sa droite.

Derrière lui, les policiers hochèrent la tête.

Il venait d'identifier l'un des trois policiers qui s'étaient mêlés aux suspects.

— Merci, Henry, dit Heat. Je vous remercie beaucoup d'être passé.

De retour dans le bureau, assis indolemment, les policiers et Rook s'envoyaient une balle de jonglage à un rythme mécanique. C'était leur passe-temps favori lorsqu'ils étaient coincés.

— C'est pas comme si ce motard allait filer quelque part. Vous ne pourriez pas le retenir pour avoir agressé le lieutenant Heat ?

Raley leva la main et Ochoa lui envoya la balle juste dans la paume.

— Le problème, ce n'est pas de le retenir.

— Le problème, c'est de lui faire cracher l'endroit où il a mis les peintures.

Ochoa leva la main et Raley lui renvoya la balle. Ils étaient si rodés qu'ils n'avaient même pas besoin de bouger.

— Et de savoir pour qui il travaille, ajouta Heat.

Rook leva la main et Ochoa lui envoya la balle.

— Alors, comment vous faites parler un type comme ça quand il ne veut rien dire ?

Heat leva la main et Rook lui envoya la balle pour qu'elle l'attrape sans effort.

— Là est la question. Trouver le point sensible sur lequel appuyer. (Elle fit passer la balle d'une main à l'autre.) J'ai peut-être ma petite idée.

— Ça ne rate jamais ! C'est la magie de la balle, dit Raley.

— La magie de la balle ! répéta Ochoa en levant la main.

Nikki lança la balle qui vola dans la figure de Rook.

— Désolée, c'est la première fois que ça m'arrive !

Nikki Heat avait un nouveau client en salle d'interrogatoire : Gerald Buckley.

— Monsieur Buckley, savez-vous pourquoi nous vous avons convoqué ?

Buckley avait les mains serrées très fort l'une contre l'autre sur la table.

— Aucune idée, dit-il, le regard dur.

Nikki remarqua qu'il se teignait les sourcils.

— Savez-vous qu'il y a eu un cambriolage au Guilford la nuit dernière ?

— Non ! C'est pas vrai !

Il se passa la langue sur les lèvres et mit le doigt sur son nez d'ivrogne.

— Pendant le black-out, c'est ça ?

— Qu'est-ce que vous voulez dire ?

— Eh ben, je sais pas. Vous savez, c'est pas politiquement correct… Mais y a des types qu'en profitent toujours quand les lumières s'éteignent.

Il sentait le regard de Nikki sur lui et ne trouvait aucun endroit sûr pour lui échapper. Il se concentra donc sur une vieille égratignure sur sa main.

— Comment se fait-il que vous ne vous soyez pas présenté à votre poste hier ?

Il leva lentement les yeux vers elle.

— Je ne comprends pas la question.

— C'est une question toute simple. Vous êtes bien portier au Guilford ?

— Oui.

— Hier, vous avez appelé le portier de service, Henry, pour lui dire que vous ne pouviez pas venir. Pourquoi ?

— Comment ça, pourquoi ?

— Simplement pourquoi ?

— Je vous l'ai dit. Il y avait un black-out. Vous savez bien que cette ville se transforme en asile de dingues quand il n'y a pas de lumière. Vous pensez que j'allais sortir dans cette jungle ? Pas question. Alors, j'ai annulé. Qu'est-ce qu'il y a de si grave ?

— Il y a eu un énorme cambriolage, et quand il se passe des choses qui sortent de l'ordinaire, comme des employés qui ne viennent pas prendre leur poste, ça m'intéresse. Voilà, ce qu'il y a de si grave, Gerald.

Elle le regarda et attendit.

— Si vous me dites où vous étiez hier, je vous serre la main et je vous laisse partir.

Gerald Buckley plissa les narines deux fois et inspira à la manière des sniffeurs de coke. Il ferma les yeux pendant cinq bonnes secondes.

— Je veux mon avocat.

— Bien entendu.

Elle était obligée de tenir compte de cette requête, mais elle voulait qu'il en dise un peu plus.

— Vous pensez avoir besoin d'un avocat ?

Ce type était un imbécile, doublé d'un camé. S'il continuait à parler, elle savait qu'il se piégerait lui-même.

— Pourquoi n'avez-vous pas assuré votre service ? Vous étiez sur le camion avec les voleurs, ou vous aviez tellement peur que, si cela se passait pendant votre service, vous seriez incapable de feindre l'innocence le lendemain matin.

— Je n'ai plus rien à dire.

Flûte, si près du but...

— Je veux parler à mon avocat.

Il croisa les bras et s'adossa à sa chaise.

Néanmoins, Nikki Heat avait un plan B. Ah ! la magie de la balle !

Cinq minutes plus tard, elle se trouvait dans la salle d'observation avec Ochoa.

— Où vous l'avez mis ?

— Sur le banc, près du bureau des communautés, à côté de l'escalier.

— Parfait, je règle ça en deux minutes.

Ochoa alla reprendre sa position pendant que Nikki retournait auprès de Gerald Buckley dans la salle d'interrogatoire.

— Et mon avocat ?

— Vous êtes libre.

Il la regarda d'un air soupçonneux.

— Oui, vous êtes libre.

Il se leva et elle lui tint la porte.

Lorsqu'elle sortit avec Buckley, elle passa sans un regard devant le bureau des communautés, mais devina les silhouettes d'Ochoa et Raley qui faisaient écran afin que Gerald Buckley ne voie pas Doc le motard assis sur le banc. C'était dans l'autre sens que cela devait se passer. En haut des marches, Nikki plaça Buckley dos au banc de Doc et s'arrêta.

— Merci d'avoir pris la peine de vous déplacer, monsieur Buckley, dit-elle assez fort.

Derrière l'épaule de Buckley, elle vit les Gars s'écarter légèrement l'un de l'autre. Elle feignit de ne rien remarquer, mais le motard tendit le cou pour voir si elle parlait bien à son Gerald Buckley.

Dès que Nikki lut l'expression d'inquiétude sur le visage du motard, elle prit Buckley par le bras et le fit descendre l'escalier, hors de vue. Tandis qu'il finissait le chemin seul, Nikki remonta sur le palier et l'interpella :

— Merci encore pour votre coopération, je sais que ce n'est pas facile, mais vous avez pris la bonne décision !

Buckley la regarda comme si elle sortait de l'asile et s'en alla en hâte.

L'entretien se déroula différemment lorsque Brian Doc Daniels revint en salle d'interrogatoire. Nikki s'arrangea pour être déjà assise lorsque les Gars le lui amenèrent, et Queue-de-cheval-gris-acier essaya de décrypter son expression avant de s'installer.

— Qu'est-ce qui se passe ? Qu'est-ce que vous a raconté ce type ?

Elle ne répondit pas. Elle fit un signe de tête à Raley et Ochoa, qui quittèrent la pièce. La salle resta étrangement silencieuse après leur départ.

— Alors ? Qu'est-ce qu'il a dit ?

D'un geste théâtral, Nikki ouvrit un dossier et parcourut la première page. Elle leva les yeux.

— Donc, si je comprends bien, vous considérez Gerald Buckley comme un de vos amis ? dit-elle en refermant son dossier.

— Un ami ? Un menteur, ça oui !

— Ah bon ?

— Il inventerait n'importe quoi pour sauver sa peau.

— C'est ce qui arrive lorsque les choses commencent à mal tourner. Les gens se mettent à jeter leurs amis et leurs familles en dehors du bateau de sauvetage. (Une fois bien échauffée, Nikki croisa les bras et s'adossa à sa chaise.) La question est de savoir lequel d'entre vous va aller nager au milieu des requins.

Le motard commençait à réfléchir aux enjeux.

— Dites-moi ce qu'il vous a raconté, et je vous dirai si c'est la vérité.

— Ah oui, parce que vous vous imaginez que je vais vous le dire ?

— Bon, alors, qu'est-ce que je suis censé faire ? Avouer ?

Elle haussa les épaules.

— Disons coopérer.

— Hum, je vois.

— C'est à vous de décider, Doc. Mais le plus sage, ce serait de prendre les devants. L'accusation va vouloir faire tomber une tête. Alors, la vôtre ou celle de Buckley ? (Elle reprit le fichier.) C'est peut-être lui, le plus malin, aujourd'hui. (Elle se leva.) Bon, on se revoit à l'audience.

Le Doc réfléchit, mais pas très longtemps. Il secoua sa chevelure grise.

— Bon, voilà. Je vous jure que c'est la vérité. On n'a pas volé les tableaux. Quand on est entrés dans l'appartement, ils avaient déjà disparu.

— Moi, je le crois, dit Raley.

Installé dans son fauteuil, il avait les deux pieds sur un caisson à dossiers au milieu du bureau.

Près du tableau blanc, Nikki passait son marqueur d'une main à l'autre.

— Moi aussi. (Elle déboucha le marqueur et entoura l'heure d'arrivée et de départ du camion sur l'échelle du cambriolage.) Ils n'auraient jamais pu déménager toutes ces toiles en moins d'une demi-heure. Et même si Henry s'est trompé dans les horaires et que ça a duré une heure, ça reste impossible.

Elle jeta le marqueur dans la rainure d'aluminium en bas du tableau.

— Et faire ça en silence dans un immeuble bondé en pleine nuit…

Toujours à sa place, Rook leva la main.

— Puis-je poser une question ?

Nikki haussa les épaules.

— Allez-y !

— Je manque de pratique…, compléta Raley en ricanant.

Nikki réprima son propre sourire et lui fit signe de continuer.

— Est-ce qu'Houdini a une équipe de cambrioleurs ? Parce que ces toiles sont bien passées quelque part.

De l'autre côté du bureau, Ochoa raccrocha le téléphone en s'exclamant :

— *Madre de Dios !*

Il ôta les pieds de son bureau, traversa la pièce sur son fauteuil roulant et s'arrêta près du groupe.

— Alors ça, c'est un gros morceau ! J'ai eu le résultat pour la plaque de la Volvo de la fourrière.

Il baissa les yeux et lut ses notes comme chaque fois qu'il disposait d'une information primordiale et ne voulait pas se tromper.

— Le véhicule est enregistré au nom de Barbara Deerfield. J'ai passé quelques appels un peu partout et au bureau des personnes disparues. Son employeur a signalé sa disparition il y a quatre jours.

— Qui est cet employeur ? demanda Nikki.

— Sotheby's.

Nikki poussa un juron.

— La maison de ventes aux enchères ?

— Exact, dit Ochoa. Notre inconnue est commissaire-priseuse.

14

Raley revint dans le bureau en tenant sa veste sport entre ses doigts. Sa chemise bleu ciel avait foncé de deux tons sous l'effet de la transpiration.

— Je vous ai trouvé un cadeau chez Sotheby's. Nikki se leva.

— J'adore les cadeaux. Qu'est-ce que c'est ? Un Winslow Homer ? La Grande Charte ?

— Mieux que ça ! dit-il en lui tendant une feuille de papier. On m'a laissé imprimer une page de l'agenda Outlook de Barbara Deerfield. Désolé s'il est gondolé. C'est l'humidité, c'est insupportable dehors.

Nikki tendit la page comme si elle voulait attraper quelque chose dessus.

— C'est trempé.

— Ce n'est que de la sueur.

Pendant qu'elle la dépliait, Ochoa pivota sur sa chaise et couvrit le téléphone.

— Je n'ai jamais vu personne transpirer autant que toi, mec. Quand on te serre la main, on a l'impression de serrer les fesses de Bob l'éponge.

— Ochoa, je crois que c'est une opinion, pas un dicton, dit Rook qui s'avança pour lire par-dessus l'épaule de Nikki.

— Bon, on a…

Nikki semblait avoir l'impression que Rook s'approchait d'un peu trop près, si bien qu'elle lui tendit le papier et mit une certaine distance entre eux.

— Nous avons la confirmation que Barbara Deerfield avait bien rendez-vous chez Matthew Starr, pour une estimation, le jour où il a été tué.

— Et le jour où elle a été tuée, ajouta Rook.

— Probablement. On attend toujours la confirmation du médecin légiste, mais c'est une hypo-thèse plausible.

Avec la pointe fine du marqueur, Nikki ajouta l'heure du rendez-vous sur la ligne de temps du tableau blanc et referma son stylo.

— Et l'heure de sa mort ? Vous ne la mettez pas sur le tableau ?

— Non. Plausible ou pas, ce n'est qu'une supposition.

— Bien… Pour vous, peut-être !

Raley lui relata ce qu'il avait appris de la victime en interrogeant ses collègues. Toute la maison Sotheby's était peinée et désemparée par la nouvelle.

Lorsque quelqu'un a disparu, on garde tou-jours un espoir, mais leurs pires craintes venaient d'être confirmées. Barbara Deerfield entretenait de bonnes relations avec ses collègues.

En apparence très stable, elle aimait son tra-vail, menait une vie de famille épanouie, avait des enfants à l'université et était impatiente de partir en vacances en Nouvelle-Zélande avec son mari.

— Bonne idée! dit Raley. C'est l'hiver là-bas. Pas de transpiration disgracieuse.

— Bon, allez voir ses amis et sa famille, histoire de couvrir tous les angles, mais, à mon avis, on n'ira pas très loin. Qu'est-ce que vous en pensez?

Raley exprima son accord.

Ochoa raccrocha.

— C'est l'institut médicolégal. Alors, vous voulez la bonne ou la bonne nouvelle?

Il croisa le regard du lieutenant et comprit que ce n'était vraiment pas le moment de plaisanter.

— On a deux résultats : d'abord, les fibres retrouvées sur le balcon correspondent à un jean de Pochenko.

— Je le savais! s'exclama Rook. L'ordure!

Nikki ne prêta pas attention à sa remarque. Son pouls accélérait, mais elle resta immobile comme si elle regardait les résultats de la Bourse de Tokyo en attendant le bulletin météo. Depuis des années, elle savait que chaque affaire avait sa vie propre. Celle-ci était loin d'être résolue, mais elle entrait enfin dans la phase où l'on avait quelques données sérieuses à examiner. Chaque indice devait être observé attentivement, et toute excitation, la sienne en particulier, n'était que du bruit inutile.

— Et ensuite, vous aviez raison. Il y avait bien des empreintes de l'autre côté de la fenêtre de l'escalier de secours. Et on sait à qui elles appartiennent.

— Waouh ! dit Rook.

Nikki Heat s'assit et réfléchit un instant.

— Bon, on a un indice qui tendrait à prouver que Pochenko a jeté Matthew Starr par le balcon, et un autre qui nous indique que, récemment, il a tenté en vain de forcer une fenêtre.

Elle retourna vers le tableau blanc et nota le nom de Pochenko près de *Fibres*. Dans un espace blanc, elle nota *Intrusion ?* et entoura le mot.

Immobile, elle passait le marqueur d'une main à l'autre, une nouvelle manie, venait-elle de constater, et son regard se tourna vers la bague hexagonale et les hématomes sur le torse de Matthew Starr.

— Raley, vous avez déjà votre dose de vidéos de surveillance ?

— Une overdose, vous voulez dire !

Elle lui posa la main sur l'épaule.

— Alors, vous allez me maudire.

Elle retira sa main et l'essuya discrètement sur sa cuisse.

Ochoa ricana dans sa barbe et fredonna la chanson de Bob l'éponge.

Pendant que Raley chargeait la vidéo de surveillance, Heat regarda machinalement ses appels et son ordinateur, vérifiant tous les crimes, délits et cambriolages, pour voir si personne n'avait remarqué la présence de Pochenko. On ne l'avait plus revu depuis la pharmacie. Un ami de Nikki, un agent des mœurs sous couverture, avait écumé le quartier du Russe à Brighton Beach, en vain. Heat se disait que ces vérifications de routine faisaient partie du travail de la police, car le

242

succès arrive souvent à une vitesse d'escargot. Mais au fond d'elle-même, elle n'était pas tranquille de savoir qu'un homme dangereux, qui avait une histoire personnelle à régler avec elle, se trimbalait dans la nature et avait disparu des écrans radar.

Cela mettait au défi sa sacro-sainte capacité à séparer ses émotions personnelles de son travail d'enquêtrice. Après tout, elle était censée être le flic, pas la victime. Nikki se permettait de temps en temps de basculer du côté de l'humanité totale, avant de retrouver le droit chemin.

Où était-il passé ? Un homme comme ça, avec sa carrure, blessé, en cavale, sans aucun moyen de retourner dans son appartement, devait nourrir un esprit de vengeance à un moment ou un autre. À moins qu'il n'ait une planque et de l'argent dans un coin, on aurait dû signaler sa présence. Il était peut-être organisé. Peut-être. Cela lui semblait bizarre. Elle termina son dernier appel et regarda dans le vide.

— Il s'est peut-être fait enrôler dans une émission de téléréalité où on séquestre les compétiteurs sur une île déserte et où on les oblige à manger des insectes et à s'éliminer les uns les autres, dit Rook. Vous savez : « Au secours, je suis asthmatique, faites-moi sortir d'ici ! »

Nikki posa un café sur le bureau de Raley.

— Noir, avec un faux sucre.

— Oh ! merci, j'apprécie beaucoup, dit Raley en faisant défiler la vidéo de surveillance. À moins que ce ne soit pour faire passer la pilule d'une autre nuit blanche !

— Non, ça ne prendra pas longtemps. Avancez jusqu'à l'image de Miric et Pochenko et passez au ralenti.

Raley connaissait ce passage par cœur et trouva immédiatement l'image où ils entraient dans l'immeuble.

— Bon, arrêtez-vous sur Pochenko.

Raley figea la vidéo et ajusta le zoom sur le visage du Russe.

— Qu'est-ce qu'on cherche ?

— Pas ça.

— Vous vouliez qu'on s'arrête sur lui ?

— Exact. Mais qu'est-ce qu'on a fait jusque-là ? On s'est concentré sur son visage pour avoir une identité, c'est bien ça ?

Raley la regarda et sourit.

— Je comprends !

Il desserra le zoom et reconfigura toute l'image.

Nikki appréciait sa manière de travailler.

— C'est ça, Raley, vous pigez vite. Continuez comme ça et, à partir de maintenant, c'est vous qui regarderez toutes les vidéos de surveillance.

— Ah ! vous avez démasqué mon plan : je voulais être le tsar de la vidéo du commissariat !

Il se déplaça sur d'autres parties de l'image, qu'il grossit successivement. Lorsqu'il obtint ce qu'il voulait, il s'adossa à son siège.

— Alors, qu'est-ce que vous pensez de ça ?

— Fini les appels, on a un gagnant !

La main de Pochenko remplissait l'écran, avec une image assez nette de sa bague hexagonale, celle que Lauren lui avait montrée à la fourrière.

— Imprimez-moi un beau tirage de ça, tsar Raley.

Quelques instants plus tard, Heat accrocha la photo de la bague de Pochenko avec les autres sur le tableau blanc. Appuyé contre le mur, Rook leva de nouveau la main.

— J'ai le droit de poser une question ?

— Rook, je préfère toutes les questions à vos numéros de clown !

— Je considère ça comme un oui.

Il s'approcha du tableau et montra les photos d'autopsie du torse de Matthew Starr.

— Qu'est-ce qu'a dit votre goule de légiste à propos des hématomes et de la bague ?

— Elle a un nom, elle s'appelle Lauren, et elle a dit que les bleus du torse avaient tous une marque de bague, sauf un. Regardez.

Elle montra les hématomes un par un.

— Là, là, et là...

Rook montra un autre bleu.

— Mais celui-ci n'a pas de marque de bague.

— Il l'a peut-être enlevée.

— Excusez-moi, lieutenant, qui est-ce qui fait des supputations, à présent ?

Nikki hocha la tête. Cela l'énervait qu'il soit si mignon. L'énervait vraiment. Il poursuivit :

— Pochenko portait la bague lorsqu'il est venu avec Miric pour encourager Starr à payer ses dettes, d'accord ? Boum, boum, boum, dit Rook en imitant les gestes. Demandez à Raley de faire défiler la vidéo et je parie qu'il la porte toujours en sortant.

— Raley ! appela Nikki à travers la pièce.

245

— Je vous hais, répondit Raley qui rechargea la vidéo.

— Après leur départ, la commissaire-priseuse passe et s'en va aussi. Voilà ce que je pense, dit Rook. Cet hématome, là, sans marque de bague, il a été fait plus tard, lorsque Pochenko est revenu dans l'après-midi pour tuer Matthew Starr. Pochenko n'avait plus sa bague parce qu'il l'avait perdue dans la voiture, en étranglant Barbara Deerfield.

Heat se mordit les lèvres.

— Ça colle, c'est même vraisemblable, en fait.

— Alors, vous ne me soupçonnez pas d'avoir monté mon histoire pour confirmer l'heure de la mort de Barbara Deerfield?

— Oh! je vous suis, jusque-là. Mais vous avez manqué un indice bien plus important, monsieur le journaleux.

— Lequel?

— Le pourquoi. S'il y a un lien entre ces deux meurtres, pourquoi Pochenko a-t-il commencé par tuer Barbara Deerfield? Quel est le mobile? Partez du mobile et en général vous trouverez l'assassin.

Rook regarda le tableau et se tourna de nouveau vers Nikki.

— Vous savez, jamais ma mère ne m'a fait trimer comme ça!

Elle ne l'écoutait plus. Elle était concentrée sur Ochoa qui entrait dans la pièce.

— Vous l'avez eu? demanda-t-elle.

Ochoa brandit une liasse de papiers.

— Qu'est-ce qui se passe? dit Rook.

— Certaines personnes attendent des bateaux, moi, j'attends des mandats.

Elle s'approcha de son bureau et ramassa son sac.

— Si vous me promettez de vous conduire comme un bon garçon, je vous autorise à venir me voir procéder à une arrestation.

Heat et Rook montèrent l'escalier de l'immeuble minable et tournèrent sur le palier à l'étage. C'était, à Hell's Kitchen, un quartier pauvre de Manhattan, un vieux duplex de pierre brune qui avait sans doute besoin d'un bon coup de peinture, d'après quelqu'un, car tout était repeint au lieu d'être réparé. À cette heure de la journée, l'air était lourd d'un mélange de désinfectant et d'odeurs de cuisine. La chaleur étouffante rendait la puanteur presque tactile.

— Vous êtes sûre qu'il est ici ? demanda Rook en chuchotant ?

Néanmoins, sa voix résonna, comme dans le chœur d'une cathédrale.

— Affirmatif. On le surveille depuis le début de la journée.

Nikki s'arrêta devant l'appartement vingt-sept. La plaque de cuivre avait disparu depuis longtemps sous de nombreuses couches de peinture. Une coulure durcie vert pâle formait une larme d'émail en dessous du sept. Rook se tenait juste devant la porte. Nikki lui posa la main sur la taille et le repoussa sur le côté.

— Au cas où il tirerait. Vous ne regardez jamais de policiers ?

Elle se plaça de l'autre côté.

— Bon, à présent, vous restez dans le couloir jusqu'à ce que je donne le OK.

— J'aurais pu attendre dans la voiture.

— Vous le pouvez toujours.

Il pesa le pour et le contre et recula d'un pas avant de s'appuyer contre le mur, les bras croisés. Nikki frappa à la porte.

— Qui est là ? demanda une voix étouffée à l'intérieur.

— Police. Gerald Buckley, ouvrez la porte, nous avons un mandat.

Nikki compta jusqu'à deux, pivota sur elle-même et défonça la porte. Elle entra dans l'appartement en donnant un coup d'épaule dans la porte qui rebondissait vers elle.

— On ne bouge plus !

Elle aperçut Buckley qui s'enfuyait dans le couloir. Elle s'assura que le living-room était vide avant de suivre le suspect, mais, pendant les secondes avant qu'elle n'entre dans la chambre, il avait eu le temps de passer une jambe par la fenêtre. À travers le rideau, elle aperçut Ochoa qui montait la garde sur l'escalier d'incendie. Buckley s'arrêta et commença à revenir à l'intérieur.

Nikki lui donna un coup de main inattendu en le tirant par le col tout en rengainant son arme.

— Waouh ! s'exclama Rook, admiratif.

En se retournant, Nikki le vit dans la chambre, juste derrière elle.

— Je vous avais dit de m'attendre à l'extérieur.

— Ça pue dans le couloir.

248

Elle retourna son attention vers Buckley, allongé sur le sol face contre terre, et lui attacha les mains dans le dos.

Gerald Buckley, le portier déshonoré du Guilford, était assis devant sa petite dînette, menottes aux mains. Nikki et Rook le surveillaient pendant que les Gars fouillaient l'appartement.

— Je ne comprends pas ce que vous me voulez, dit-il. C'est comme ça que vous faites chaque fois qu'il y a un cambriolage quelque part ? Vous harcelez les pauvres types qui travaillent sur place ?

— Je ne vous harcèle pas, Gerald, dit Nikki, je vous arrête.

— Je veux mon avocat.

— Vous en aurez un. Vous allez en avoir besoin. Votre copain le motard, Doc ? Je voudrais pas dire que c'est Huggy les bons tuyaux, on n'est pas dans *Starsky et Hutch…*

Les digressions de Nikki l'exaspéraient, ce qui l'incitait à en rajouter. À le mettre en furie, pour qu'il perde le contrôle et ne tienne plus sa langue.

— Non, soyons plus civilisés, disons qu'il vous a impliqué dans une déposition sous serment.

— Je ne connais aucun motard.

— C'est intéressant, parce que Doc, un motard justement, dit que c'est vous qui l'avez embauché pour voler les œuvres d'art au Guilford. Il prétend vous avoir téléphoné au dernier moment, pendant le black-out. Vous lui avez demandé de monter une équipe pour aller dévaliser l'appartement des Starr.

— Conneries !

— Ce n'est pas facile de monter une équipe pour un gros boulot comme ça en si peu de temps, Gerald. Doc dit que vous étiez un peu à court et que vous lui avez demandé de faire le quatrième. Je suppose que c'est pour ça que vous avez appelé Henry, pour le prévenir que vous ne pourriez pas prendre la relève. C'est paradoxal, vous ne trouvez pas ? Dire qu'on ne va pas prendre son travail parce que justement on a un travail à faire ?

— Qu'est-ce que vous cherchez ? Pourquoi vous mettez tout sens dessus dessous ?

— Pour vous faire vivre l'enfer, dit Heat.

Raley apparut dans l'encadrement de la porte, brandit un pistolet et continua la perquisition.

— Ça pourrait être ça. J'espère qu'il a un permis, sinon ça va lui attirer des ennuis.

— Salope !

— Vous ne vous imaginez pas à quel point, dit-elle en souriant.

Il tourna la tête et resta immobile.

— Je crois qu'on a beaucoup de choses à se dire.

Ochoa l'appela du salon.

— Lieutenant Heat ?

Raley vint prendre sa place à côté du prisonnier tandis que Nikki s'excusait.

Buckley regarda Rook et lui demanda :

— Qu'est-ce que vous regardez ?

— Un type qu'est dans un sacré pétrin.

Ochoa se tenait à l'extrémité du divan, devant le bar ouvert. Il montra l'intérieur.

— J'ai trouvé ça, planqué derrière les bouteilles de peppermint et de gin.

Dans sa main gantée, il tenait un appareil
photo, la tête en bas, pour lire la petite étiquette
rectangulaire, avec le code-barres et le numéro
de série. Au-dessus, on lisait : *Propriété de
Sotheby's*.

15

Derrière la vitre, Jameson Rook observait Gerald Buckley qui attendait et s'appliquait à trouver la bonne posture. La porte s'ouvrit et se referma derrière lui. Nikki Heat s'approcha et regarda avec lui.

— Charmant spectacle, dit-elle.

— Vous savez ce qui est le pire ? J'arrive pas à regarder ailleurs. Les gens savent qu'on les scrute de l'autre côté ? demanda-t-il en observant toujours. Lui, il doit plutôt en avoir envie, menotté comme ça.

— Bon, c'est fini ?

— Oui.

— Sotheby's a confirmé que le numéro de série de l'appareil photo correspond bien à celui de Barbara Deerfield. La carte à mémoire contient toutes les photos prises chez Matthew Starr.

— Le matin même ? L'heure figure sûrement sur les images.

— Oh ! oh ! il y a quelqu'un qui suit ! (Il s'inclina légèrement et elle poursuivit.) Oui, le matin même. Raley copie toutes les photos sur son disque dur.

— Raley, le nouveau roi du multimédia.

— Je crois qu'il faudrait plutôt dire « tsar ».

— Donc, Buckley était présent lorsqu'elle a été tuée ou alors Pochenko lui a remis l'appareil plus tard. (Il se tourna vers elle.) À moins que je ne bouscule vos méthodes, avec mes supputations continuelles ?

— Non, en fait, je suis parfaitement d'accord avec vous cette fois, l'écrivaillon. D'une manière ou d'une autre, cet appareil établit un lien entre Buckley et Pochenko.

Elle se dirigea vers la salle d'interrogatoire.

— Voyons ce qu'on peut tirer de lui, à présent.

Elle avait la main sur la porte quand Ochoa arriva.

— Son avocate est arrivée.

— Aïe ! je pensais bien avoir entendu la benne à ordures !

— Il vous reste peut-être encore un peu de temps. Son attaché-case s'est égaré lorsqu'elle a passé les formalités de sécurité.

— Ochoa, vous êtes chien !

— Ouah ! ouah !

Buckley se redressa lorsque le lieutenant Heat entra, ce qui montrait qu'il s'attendait à autre chose qu'à la conversation amicale à laquelle il avait eu droit le matin même. Il essaya d'arborer un air arrogant, mais sa manière de la regarder en se demandant jusqu'à quel point il était mouillé montrait à Nikki qu'on pouvait l'avoir, d'une certaine manière. Peut-être pas là, tout de suite, mais il craquerait. Lorsqu'elle voyait ce regard, ils finissaient tous par craquer, à un moment ou un autre.

— La salope est de retour, dit-elle en s'asseyant.

Nikki était pressée. L'avocate arriverait toujours bien trop vite, elle le savait. C'était une partie de poker. L'expression de Buckley le trahissait ; elle n'allait pas gâcher ses cartes en montrant son impatience. Elle croisa les bras, comme si elle avait toute la vie devant elle. Il se lécha les lèvres nerveusement. Dès qu'elle eut le bout de la langue sèche, elle commença.

— Vous seriez vexé si je vous disais que vous n'avez pas l'air du voleur d'œuvres d'art traditionnel ? Je vous vois dans d'autres rôles : dealer, voleur de voitures… Mais organiser un vol de tableaux de dizaines de millions de dollars ? Désolée, je reste sceptique. C'est vous qui avez appelé le motard pour qu'il monte une équipe, mais je pense que l'initiative vient d'ailleurs. Je veux savoir d'où.

— Où est mon avocate ?

— Gerald. Vous regardez parfois ces publicités qui proposent une offre commerciale dans un temps très limité. Alors, dépêchez-vous ! Avec les ennuis qui vous guettent, on est un peu dans cette situation. (Ses paupières clignaient, mais il ne bougeait toujours pas. Elle tenta une autre approche.) Bien sûr, vous n'en voyez pas souvent de ces publicités. Elles passent surtout la nuit, et c'est pendant votre service.

Il haussa les épaules.

— Vous le savez. Belle affaire, tout le monde le sait.

— Oui, mais je me pose des questions. Quand on a regardé la vidéo de surveillance du Guilford, le jour de la mort de Matthew Starr, on vous a aperçu en début d'après-midi.

— Et alors ? C'est mon lieu de travail.

— C'est bien ce que j'avais pensé, sur le coup. Mais les récents événements m'incitent à considérer cette visite sous un tout autre jour.

— Hé ! Je n'ai pas tué monsieur Starr.

— J'en prends bonne note. (Elle esquissa un sourire avant de reprendre son visage de joueuse de poker.) Je me pose encore une autre question et je pense que vous avez la réponse. Vous n'auriez pas aidé quelqu'un à pénétrer dans l'appartement en dehors de vos heures de service, par hasard ? Je sais qu'il y a une porte fermée qui donne sur le toit. Vous ne l'auriez pas ouverte lorsque vous êtes passé dans l'immeuble vers douze heures trente-neuf ?

On entendit deux coups légers à la porte. Flûte, Ochoa signalait la présence de l'avocat.

— Gerald ? L'offre est limitée dans le temps !

Les cris étouffés d'une femme qui tempêtait leur parvenaient.

— On dirait mon avocate.

On dirait la fraise du dentiste, pensa Nikki.

— Alors ? Avez-vous laissé quelqu'un accéder au toit ?

Il y eut un appel d'air, car la porte s'ouvrit. Ochoa entra avec une femme en tailleur couleur de boue. Elle lui rappelait quelqu'un qui retardait toute la queue à l'épicerie parce qu'elle insistait pour vérifier le prix du persil.

— Cette question est hors sujet.

Sans tenir compte de sa présence, Nikki continua.

— Où avez-vous trouvé l'appareil photo ?

— Ne répondez pas.

— Je ne dirai rien.

Avec l'avocate qui surveillait l'entretien, Nikki changea de tactique. Elle cessa de chercher des réponses et commença à planter des graines.

— Est-ce que Pochenko vous l'a offert en remerciement des services rendus ?

— Mon client n'a rien à dire.

— À moins que vous ne le lui ayez volé ? Pochenko n'est pas du genre à se laisser voler facilement.

— Lieutenant, l'interrogatoire est terminé.

Nikki se leva et sourit.

— Il y en aura d'autres.

Peu après le départ des Gars, Nikki entendit Rook qui arrivait derrière elle et regardait les photos prises par Barbara Deerfield sur son ordinateur. Des photographies de chaque tableau, allant deux par deux, l'une en lumière naturelle, l'autre au flash.

— Elles n'étaient destinées qu'à un usage interne. Il aurait été impossible de les mettre dans une brochure ou sur un site Web, dit Nikki.

— C'était sa manière de prendre des notes pendant la rencontre avec Matthew Starr.

— Exact. Et Lauren, mon... ma goule, comme vous l'appelez, a confirmé que l'heure de la mort se situait autour de midi, le même jour.

Nikki continua à faire défiler les photos.

Rook dut sentir son humeur, car, au lieu de pousser un cri de triomphe, il observa en silence pendant un instant. Un court instant seulement avant de demander :

— Vous êtes libre ce soir ?

Elle continuait à visionner les photos, à la même cadence, pour admirer cette exposition personnelle ou chercher des indices, ou les deux.

— Je travaille ce soir.

— C'est du travail que je vous propose. Que diriez-vous de rencontrer le plus grand voleur d'art de New York ? De voleur en retraite, je veux dire.

Un petit frisson secoua Nikki qui le regarda.

— Casper ? demanda-t-elle.

— Oui, vous le connaissez ?

— J'en ai entendu parler. J'ai lu son portrait dans *Vanity Fair*, il y a quelques années.

Elle regretta aussitôt ses paroles, mais il était trop tard.

— Vous avez lu mon article ?

— Rook, je lis beaucoup. Arrêtez de frimer.

Elle essayait de mettre une sourdine, mais elle avait dévoilé ses cartes.

— De toute façon, dit-il, si quelqu'un essaye de vendre une œuvre d'art dans cette ville, Casper le saura.

— Et vous pourriez avoir un rendez-vous ?

Rook la regarda en prenant des airs hautains.

— Bon, quelle idée ! Vous connaissez vraiment tout le monde.

Il sortit son téléphone et fit défiler son carnet d'adresses. Sans regarder Nikki, il dit :

— Cet article dans *Vanity Fair*, il date de cinq ans et vous vous en souvenez encore.

— Il était très bien documenté.

— Et vous saviez que c'était moi qui l'avais écrit?

— Oui.

Dans le quartier des galeries d'art au sud d'Union Square, une sorte de méli-mélo tiré du dictionnaire des noms propres, Rook et Nikki se rapprochaient d'une porte de verre, entre un magasin de meubles Shaker et une boutique de cartes anciennes. Une plaque dorée à la feuille dans le style des années 1940 disait : *C. B. Phillips, Œuvres rares*. Nikki tendit la main vers la sonnette.

— Je ne ferais pas ça...

— Pourquoi?

— C'est une insulte.

Il leva le doigt pour lui dire d'attendre un instant.

Il fallut en fait deux secondes avant que la gâche électrique ne bourdonne.

— C'est Casper. Il sait. Il sait toujours quand quelqu'un est là.

Ils montèrent une volée de marches de bois blond ciré, qui avait l'odeur de vieille bibliothèque. Sur le palier, Nikki se remémora un des dictons chers à la ville de New York : on ne sait jamais ce qui se cache derrière une porte.

La salle d'exposition silencieuse de C. B. Phillips se trouvait à quelques pas de Broadway, mais c'était un voyage dans le temps et l'espace, qui menait à un vaste salon désert, regorgeant de meubles sombres, de velours et de broderies qui scintillaient sous les lumières diffuses de petits abat-jour marron posés sur des tables basses et des appliques ocre des murs.

Des marines, des bouledogues mascottes de l'armée en tenue militaire et des chérubins ornaient les murs et les boiseries. Nikki levait les yeux vers le plafond métallique vintage, lorsqu'une petite voix la fit sursauter.

— Mon Dieu, Jameson, cela fait des lustres !

Ses paroles avaient la rondeur du whisky, la douceur d'une flamme de bougie. Nikki ne pouvait pas situer avec précision la vague intonation européenne, qu'elle trouvait fort agréable. Le vieil homme se tourna vers elle.

— Excusez-moi, je vous ai fait peur.

— Vous êtes sorti de nulle part.

— Un art qui m'a beaucoup servi ! Se déplacer aussi discrètement, c'est une qualité que je perds, je le déplore. Cela m'a conduit à une retraite agréable néanmoins, dit-il en montrant la pièce. Je vous en prie, après vous.

Ils traversèrent l'épais tapis oriental.

— Tu ne m'avais pas dit que tu amenais un policier !

— Je n'ai jamais dit que j'étais de la police, dit Nikki.

Le vieil homme se contenta de sourire.

— Je ne suis pas certain que tu aurais accepté de me voir, si je t'avais prévenu, dit Rook.

— Sans doute pas, et j'aurais eu bien tort.

De la part de quelqu'un d'autre, cela aurait été une réplique de comptoir grotesque, mais le vieil homme fringant la fit rougir.

— Je vous en prie, asseyez-vous.

Il attendit que Nikki et Rook s'installent sur un divan de velours marine avant de s'asseoir dans un fauteuil de cuir vert. On devina des rotules protubérantes sous son pantalon de lin lorsqu'il croisa les jambes. Il ne portait pas de chaussettes, et ses pantoufles semblaient faites sur mesure.

— Je dois dire que vous correspondez exactement à l'image que je me faisais de vous.

— Elle trouve que mon article vous donnait des airs débonnaires.

— Oh! je vous en prie, pas cette vieille étiquette! (Casper se tourna vers elle.) Ce n'est rien, croyez-moi. À mon âge, débonnaire, cela signifie simplement que vous vous êtes rasé le matin.

Elle remarqua que les joues brillaient sous la lumière.

— Mais la crème de la société new-yorkaise n'a pas le temps de passer ici pour une simple visite. Et comme je n'ai pas de menottes et qu'on ne m'a pas lu mes droits, je suppose que mon passé ne m'a pas rattrapé.

— Effectivement, cela n'a rien à voir. Je sais que vous êtes retiré des affaires.

Il répondit avec un petit haussement d'épaules et ouvrit la main, espérant peut-être qu'on le prenne toujours pour un cambrioleur. En fait, il se montra assez convaincant pour qu'elle se pose la question.

— Le lieutenant Heat mène une enquête sur un vol de tableaux, dit Rook.

— Rook me dit que c'est à vous qu'il faut s'adresser pour toutes les ventes d'œuvres d'art majeures dans cette ville. Légales ou non.

De nouveau, il répondit par le même haussement d'épaules et les mêmes gestes de la main. Nikki pensa qu'il avait raison, qu'elle n'était pas venue pour une visite de courtoisie; elle alla donc droit au but.

— Pendant le black-out, quelqu'un a cambriolé le Guilford et volé toute la collection d'art de Matthew Starr.

— Oh! c'est charmant! Appeler ce ramassis de bric-à-brac une collection! Ce n'est qu'un fatras de vulgarités.

Heat hocha la tête.

— Oui, j'ai déjà entendu cette remarque.

Elle lui tendit une enveloppe.

— Ce sont des photos de tableaux prises par un commissaire-priseur.

Casper feuilleta les tirages avec un dédain non dissimulé.

— Mon Dieu, un Dufy à côté d'un Severini! Pourquoi ne pas ajouter un toréador ou un clown sur fond de velours noir!

— Vous pouvez les garder. J'espérais que vous pourriez les montrer autour de vous et me dire si quelqu'un essaye de vendre une de ces toiles.

— C'est un peu délicat, dit Casper. Un des côtés de cette équation ou un autre signifie que je devrais impliquer un de mes amis.

— Je comprends. Ce n'est pas vraiment l'acheteur qui m'intéresse.

— Bien sûr, vous voulez le voleur. (Il se tourna vers Rook.) Les temps n'ont pas changé, Jameson. On s'attaque toujours à celui qui a pris le plus de risques.

— La différence ici, c'est que le voleur ne s'est pas contenté de quelques tableaux. Il a sans doute commis un meurtre, deux peut-être.

— Pour dire toute la vérité, nous n'en sommes pas certains, ajouta Nikki.

— Oh! oh!... Et franche... remarqua le vieux gentleman cambrioleur lui en adressant un long regard approbateur.

— Très bien, je connais un ou deux marchands d'art peu orthodoxes qui pourraient vous être utiles. Je vais poser une ou deux questions pour rendre service à Jameson. Et puis, cela ne fait jamais de mal de montrer sa bonne volonté à la *gendarmerie*.

Nikki se pencha pour ramasser son sac et se leva pour le remercier. Mais, lorsqu'elle leva les yeux, il avait déjà disparu.

— Qu'est-ce qu'il raconte? dit Rook. Il est toujours aussi silencieux qu'un chat!

De retour au poste, dans la salle de repos, Nikki regardait le carton de porc au barbecue et riz grillé qui tournait sur le plateau du micro-ondes. Ce n'était pas la première fois qu'elle se demandait combien de temps elle passait à regarder à travers les vitres, dans l'attente d'un résultat. Quand ce n'était pas dans la salle d'interrogatoire, c'était à travers la vitre du micro-ondes! Le bip retentit et Nikki sortit le carton rouge fumant avec le nom de Raley sur les deux côtés, suivi de trois points d'exclamation. S'il l'avait vraiment voulu, il l'aurait emporté chez lui. Elle pensa aux charmes de la vie du policier. Finir la journée de travail avec encore plus de travail, manger en vitesse des restes qui n'étaient même pas les vôtres !

Bien sûr, Rook avait essayé de l'inviter. Cette rencontre avec Casper avait l'avantage évident de se terminer à l'heure du dîner et, même par une soirée chaude et humide, rien n'était plus agréable que de flâner au Boat Basin Café devant des burgers grillés, avec un seau de Coronas plantées dans la glace pilée et une vue sur les voiliers de l'Hudson.

Elle avait prétendu avoir un rendez-vous. Lorsqu'il fit grise mine, elle avait précisé que c'était au bureau, devant ce tableau blanc. Nikki n'avait pas envie de le torturer. Enfin si, mais pas comme ça ! Dans le silence du poste, après les horaires de travail, sans coup de téléphone ni visite pour l'interrompre, le lieutenant Heat analysait les éléments notés sur le paysage de porcelaine blanche.

Quelques jours plus tôt, elle s'était déjà trouvée sur cette chaise, à procéder aux mêmes examens. Elle avait plus d'informations à sa disposition, cette fois. Le tableau était rempli de noms, de créneaux horaires et de photographies. Depuis la dernière fois, deux autres crimes avaient été commis. Trois, si l'on comptait sa propre agression.

— Pochenko, dit-elle, où es-tu passé, Pochenko ?

Nikki était songeuse. Elle n'était guère portée sur le mysticisme, mais elle croyait au pouvoir de l'inconscient. Du sien, en tout cas. Elle visualisa son propre esprit sous forme de tableau blanc et l'effaça. Une fois nettoyée, elle serait ouverte à tout ce qui se trouvait devant elle, et des lignes conductrices pourraient surgir des différents indices. Ses pensées dérivaient. Elle chassa celles qui étaient hors de propos et s'en tint à l'affaire. Elle cherchait une impression globale. Elle voulait écouter ce que les indices avaient à dire. Elle voulait savoir ce qui lui avait échappé.

Elle se laissa emporter, glisser au-dessus des jours et des nuits, se servant du tableau blanc comme d'un Guide Michelin. Elle vit le corps de Matthew Starr et remonta dans l'appartement de Kimberly, qui feignait de pleurer comme une adolescente au milieu du luxe et de l'opulence ; elle se revit interroger toutes les personnes qui fréquentaient les Starr : les rivaux, les conseillers, le bookmaker et sa brute épaisse de Russe, la maîtresse, les portiers. La maîtresse. Les propos de cette dernière refirent surface. Un mince détail. Nikki faisait très attention aux minuscules détails, car, tels des indices divins, ils avaient leur propre voix. Elle se leva et vint se placer devant la photo de la maîtresse.

Une affaire de cœur au bureau ; une lettre d'amour interceptée ; la Championne du chef ; la démission ; la pâtisserie ; le bonheur, pas de mobile. Son regard glissa vers la photo suivante. Une aventure avec la nounou ?

L'ancienne maîtresse avait vu Matthew Starr avec une autre femme à Bloomingdale. Scandinave. Nikki avait trouvé Agda insignifiante et, surtout, munie d'un solide alibi pour le meurtre. Était-ce si simple ?

Elle posa le carton de nourriture chinoise sur le bureau de Raley et y accrocha un post-it disant : *Merci à Raley !!!* En prenant un malin plaisir à mettre trois points d'exclamation. En dessous, elle lui demanda de convoquer Agda pour un interrogatoire à neuf heures du matin.

Elle trouva une voiture bleue et blanche garée devant son appartement. Elle salua les agents à l'intérieur et monta. Ce soir-là, elle n'appela pas le capitaine pour qu'il rappelle la patrouille. Les hématomes de la nuque de Barbara Deerfield étaient encore frais dans son esprit. Exténuée, Nikki avait envie de dormir.

Pas de petit plaisir ce soir. Elle se contenta d'une douche.

Nikki se mit au lit et sentit encore l'odeur de Rook sur l'oreiller à côté d'elle. Elle l'approcha et inspira profondément, se demandant si elle n'aurait pas mieux fait de l'appeler. Avant de pouvoir répondre, elle s'endormit.

Il faisait toujours nuit lorsque son téléphone retentit. La sonnerie la tira d'un sommeil si profond qu'elle dut tâtonner pour trouver l'appareil. D'une main engourdie, elle le saisit sur la table de chevet, et il tomba par terre. Lorsqu'elle le ramassa, il était trop tard.

Elle reconnut le numéro et consulta sa messagerie. « Bonjour. C'est Ochoa. Rappelez-moi immédiatement, d'accord ? Dès que vous aurez ce message. »

La voix transmettait un sentiment d'urgence peu habituel chez lui. La sueur sur le corps de Nikki se refroidit soudain quand elle entendit la suite. « On a retrouvé Pochenko. »

266

16

Tout en dégringolant les marches, Nikki ajustait son chemisier dans son pantalon. Elle courut vers la voiture de patrouille et demanda aux policiers s'ils pouvaient la conduire au poste. Heureux de cette rupture de la routine habituelle, ils l'invitèrent à monter à l'arrière et démarrèrent.

À cinq heures du matin, la circulation était fluide sur le West Side Highway et ils roulaient vite.

— Je connais le coin, il n'y a pas de sortie dans ce sens, dit Nikki au chauffeur. Au lieu de perdre du temps à faire un détour par la 96ᵉ Rue, prenez la sortie suivante, je vous abandonnerai en bas de la bretelle et je finirai à pied.

L'officier n'avait pas terminé de freiner lorsque Heat lui dit qu'il pouvait la déposer. Elle se retourna et le remercia par-dessus son épaule.

Bientôt, elle courait sous l'autoroute en direction du fleuve et des lumières des voitures de police, glissant les pieds entre les fientes de pigeon.

Lauren Parry travaillait sur le corps de Pochenko lorsque Nikki arriva au petit trot, en sueur.

— Reprends ton souffle, Nikki, il ne risque pas de quitter la ville. J'allais t'appeler, mais Ochoa m'a devancée.

— On dirait qu'il ne va plus vous agresser, celui-là, dit Ochoa qui les rejoignit.

Heat contourna la table en formant un arc de cercle pour observer le corps. Le grand Russe avait été retrouvé avachi sur un banc public, face à l'Hudson. Un lieu de repos pittoresque, sur une pente herbue, entre la piste cyclable et la rive. C'était le lieu de son dernier repos.

Il s'était changé depuis la nuit de l'agression. Son bermuda et son t-shirt semblaient neufs – c'est toujours ainsi que s'habillent les criminels en cavale, les magasins leur servent d'armoire. Les vêtements de Pochenko sortaient tout droit de l'étagère, à part qu'ils étaient maculés de sang.

·— C'est la patrouille de secours des sans-abris qui l'a trouvé, dit Ochoa. Ils effectuaient des rondes pour pouvoir les placer dans des endroits frais.

— J'ai comme l'impression qu'il va rester au frais, maintenant.

Nikki comprenait parfaitement l'humour noir d'Ochoa, mais, face à ce corps, elle ne se sentait pas d'humeur à donner la réplique. Quoi qu'il ait été, Vitya Pochenko était un être humain décédé, désormais. Le soulagement personnel qu'elle éprouvait en se disant qu'il ne la menacerait plus n'était que cela : un soulagement personnel. Si Nikki était si douée pour ce travail, c'est parce qu'elle parvenait à enfermer ses sentiments personnels dans une petite boîte et à rester professionnelle. En regardant Pochenko, elle se rendit néanmoins compte qu'il lui faudrait une plus grande boîte.

— Des indices ? demanda-t-elle à Lauren.

La légiste lui fit signe de passer de l'autre côté du banc.

— Une seule balle, à l'arrière du crâne.

Le ciel commençait à s'éclaircir et les lumières jaunâtres lui permettaient de mieux voir le trou dans les cheveux coupés en brosse.

— Il y a des traces de brûlure.

— Exact. Le coup a été tiré à bout touchant. Et regarde la position du corps. Un banc entier à lui tout seul, et il se tient à l'extrémité ?

Heat hocha la tête.

— Quelqu'un était avec lui. Pas de signe de lutte ?

— Aucun.

— Alors, il s'agit sûrement d'un ami ou d'un associé, pour qu'il ait pu s'approcher de si près.

— D'assez près pour le prendre par surprise. Il arrive par-derrière et hop ! dit Ochoa en faisant un signe en direction de l'autoroute que les banlieusards commençaient à encombrer. Pas de témoins, le bruit du coup de feu étouffé par celui des voitures. Il n'y a pas l'air d'avoir de webcam non plus...

— Et l'arme ? demanda Nikki.

— Petit calibre. Je dirais du 6.35, si tu me le collais sur la tempe.

— Lauren, ma chérie, tu devrais t'aérer les méninges !

— J'aimerais bien, mais j'aime trop le travail. La brûlure sur le visage et le doigt cassé, c'est ton œuvre ?

Heat hocha la tête.

— Il y a d'autres détails que je devrais connaître ?

— Ouais, on ne badine pas avec Nikki Heat !

Rook attendait au poste lorsqu'elle arriva avec Ochoa.

— J'ai appris, pour Pochenko, dit-il en inclinant la tête de manière théâtrale. Je vous présente toutes mes condoléances...

Ochoa se mit à rire.

— Notre écrivaillon se met au parfum !

Une fois de plus, Nikki les laissa à leur humour de potache.

— OK, Ochoa, vérifie ce qu'a donné la filature de Miric. C'est l'associé officiel de Pochenko. J'aimerais savoir où était l'ami bookmaker au moment de la mort.

Ochoa se mit au téléphone. Rook déposa un cappuccino de chez Dean & DeLuca sur le bureau de Nikki.

— Comme d'habitude, sans matière grasse, sans mousse, lait vanille.

— Vous savez ce que je pense des cafés chichiteux.

— Et pourtant, vous en buvez un tous les matins. Ah ! franchement, vous n'êtes pas simple.

Elle le prit et commença à le boire.

— Merci, c'est très gentil.

Son téléphone sonna.

— La prochaine fois, n'oubliez pas les copeaux de chocolat.

— Vraiment pas simple...

Nikki décrocha. C'était Raley.

— Deux choses. Agda attend dans le hall.

— J'arrive. Et l'autre ?

— J'ai repéré l'autre zigoto dans un resto chinois.

Agda Larsson s'était mise sur son trente et un pour l'interrogatoire.

Elle portait des vêtements vintage de Greenwich Village, une montre Swatch rose et blanc, avec un décor de beach-volley, et un bracelet tressé sur l'autre bras. Elle pinça un des nœuds du bracelet entre le pouce et l'index et demanda :

— Je vais avoir des ennuis ?

— Non, simple formalité.

Ce n'était pas tout à fait vrai. Nikki marchait sur des œufs, car elle voulait absolument obtenir la réponse à la question la plus délicate. Elle devait donc choisir le bon moment.

— Comment supportez-vous tout ça ? Entre le meurtre et le cambriolage, vous avez sans doute envie de rentrer en Suède ?

Agda hocha la tête, comme si elle n'arrivait pas encore à réaliser.

— Oui, c'est perturbant, mais il y a des meurtres aussi dans mon pays. Presque deux cents par an, paraît-il.

— Dans tout le pays ?

— Oui, c'est affreux, n'est-ce pas ?

— Agda, je voudrais vous poser quelques questions sur votre vie au sein de la famille Starr.

Elle hocha lentement la tête.

— Madame Kimberly m'avait dit que vous me poseriez sûrement cette question quand je lui ai annoncé que je venais ici.

Les antennes de Nikki sortirent aussitôt.

— Elle vous a demandé d'éviter d'aborder certains sujets ?

— Non, elle m'a dit de raconter ce que je voulais.

— Ah bon ?

La nounou eut un petit rire et secoua sa chevelure blonde qui se remit en place.

— En fait, elle m'a dit que cela n'avait aucune importance parce que les policiers étaient tous des incompétents qui avaleraient n'importe quoi.

Agda se rendit compte que Nikki n'appréciait guère la plaisanterie et fronça les sourcils, essayant vainement de prendre l'air sérieux.

— Madame Starr, elle dit ce qu'elle veut.

Et obtient ce qu'elle veut, pensa Nikki.

— Depuis combien de temps travaillez-vous pour elle ?

— Deux ans.

— Comment vous entendez-vous avec elle ?

— Oh ! elle est dure parfois. Comme ça, pour rien, elle me crie dessus. « Agda, faites sortir Matthew du parc. » Elle frappe à la porte de ma chambre au beau milieu de la nuit pour me dire que Matthew a été malade et que je dois nettoyer.

— Avant-hier, madame Starr et son fils ont quitté la ville ?

— C'est exact. Ils sont allés dans le cottage du docteur Van Peldt, à Westport, dans le Connecticut.

— Vous ne les avez pas accompagnés ? Vous les avez peut-être rejoints plus tard, ou à Grand Central ?

Agda hocha la tête.

— Non, je n'y suis pas allée.

— Qu'avez-vous fait ?

— J'ai passé la nuit avec un ami à l'Université de New York.

Nikki nota *NYU*[1] dans son carnet.

— C'est inhabituel ? Enfin, si madame Starr frappe à votre porte au beau milieu de la nuit pour vous demander de s'occuper de son fils, je suppose qu'elle vous emmène en week-end avec elle.

— C'est vrai. En général, je vais en vacances avec eux pour qu'elle puisse en profiter sans avoir à s'occuper de son fils.

— Mais pas ce jour-là ?

Nikki en arrivait au point qui la turlupinait.

— Avait-elle une bonne raison pour ne pas vouloir que vous l'accompagniez ? (Nikki lui adressa un regard perçant.) Elle ne voulait pas de votre présence dans les parages ?

— Non, je suis restée pour m'occuper de la livraison du piano. Elle voulait que Matthew abandonne les jeux vidéo, et elle lui a acheté un piano à queue. Il est superbe. Quand ils l'ont sorti de la caisse, j'ai failli m'évanouir. Il a dû coûter une fortune !

Le chagrin revêt de nombreuses formes, pensa Nikki.

— Parlez-moi un peu de votre relation avec Matty Starr.

— Oh ! la routine. Il m'aime bien, mais il me traite de tous les noms si je lui demande d'aller

---

1. New York University. (NDT)

se coucher ou d'éteindre la télévision quand il regarde *La Vie de palace de Zack et Cody* et qu'il est l'heure du dîner. C'est de cela que vous voulez parler ? demanda-t-elle en levant le sourcil.

Nikki Heat prit note de ne pas oublier qu'elle n'était pas face à la lauréate du grand prix de poésie suédois.

— Merci, mais quelles relations entreteniez-vous avec monsieur Starr ?

— Oh ! excellentes ! Elle, elle claque des doigts : Agda, fais ci, Agda, fais ça, Agda, fais-le taire, je fais mon yoga.

— Agda ? Et monsieur Starr ?

— Monsieur, il était toujours très gentil. Il me consolait quand elle avait été méchante avec moi. Il me donnait toujours un peu d'argent de poche et m'invitait au restaurant de temps en temps. Ou il m'emmenait faire les courses. Regardez, c'est lui qui m'a offert cette montre !

— Est-ce que madame Starr le savait ?

— Oh ! *tvärtom*[1], non ! Matthew voulait que cela reste entre nous.

Surprise par la naïveté de ces aveux, Nikki décida de continuer sur le même ton.

— Votre relation était-elle parfois physique ?

— Oh oui ! bien sûr. Il me passait la main autour des épaules lorsqu'elle m'avait disputée. Il me prenait dans ses bras ou me caressait les cheveux. Il était si gentil !

— Quel âge avez-vous, Agda ?

— Vingt et un ans.

— Vous et monsieur Starr, est-ce que vous couchiez ensemble ?

---

1. Au contraire. (NDT)

— Vous parlez de relations sexuelles? *Skit neij*[1] ! Cela n'aurait pas été correct !

Il y avait eu quelques rires gras et des plaisanteries grivoises dans la salle d'observation pendant l'interrogatoire de la nounou des Starr. Cela se sentait encore lorsque les Gars et Rook entrèrent dans la pièce.

— Alors, qu'est-ce que vous pensez d'Agda ?

Rook réfléchit.

— Elle est un peu comme les meubles suédois. Jolie à regarder, mais il lui manque quelque chose.

— Moi, ce que je préfère, dit Ochoa, c'est le moment où elle nous raconte que ce type la bécotait sous les yeux de sa femme et qu'elle dit qu'elle n'avait pas de relations sexuelles parce que ça n'aurait pas été correct !

— C'est ce qu'on appelle le *becoitus interruptus…*, dit Raley, près de la cafetière. Je pense qu'Agda est une de celles qu'il n'a pas eu le temps de se faire avant d'être assassiné.

Rook se tourna vers Nikki.

— Difficile de croire qu'elle vient du pays qui nous a valu le prix Nobel. Elle vous a donné des éléments utiles ?

— Ça, on ne le sait jamais avant de le savoir !

La musique de *Ghostbusters* interprétée par Ray Parker Jr. commença à retentir.

— Rook, dites-moi que cela ne vient pas de votre pantalon !

---

1. Merde, non ! (NDT)

275

— Une sonnerie personnalisée. Ça vous plaît ? (Il tendit son téléphone. L'identité de l'interlocuteur apparut : Casper.) Excusez-moi, lieutenant, ma source a peut-être des informations à transmettre.

Rook s'éloigna dans le corridor avec des airs de conspirateur.

Moins d'une minute plus tard, il revint, mais dépouillé de toute arrogance.

— Mais c'est moi qui te l'ai présentée. Tu ne peux pas me le dire à moi ? (Il ferma les yeux et soupira.) Bon…

Rook confia son portable à Nikki.

— Il ne veut se confier qu'à vous…

— Nikki Heat.

— Quel plaisir de vous entendre, lieutenant. D'abord, assurez-moi que Jameson Rook est rongé par l'angoisse.

Elle leva les yeux vers lui : il mordait sa lèvre inférieure et tendait l'oreille.

— Ne vous inquiétez pas pour ça.

— Parfait. Si quelqu'un a besoin de descendre rapidement de son piédestal, c'est bien lui !

La voix douce, brumeuse, était chaude à l'oreille. Écouter cette voix sans voir Casper l'isolait, si bien qu'elle entendait des réminiscences de David Bowie et de Michael Caine.

— Retournons à nos affaires. Après votre visite, j'ai brûlé la chandelle par les deux bouts parce qu'il me semblait qu'il y avait urgence.

— Je ne connais aucune affaire où le temps ne presse pas.

— Et même si vous avez mis votre théorie en sourdine, vous êtes persuadée qu'un meurtre est lié à ce vol de tableaux.

— Effectivement, j'ai mis le meurtre en sourdine et, oui, je crois qu'il y a un lien. Avec deux meurtres, peut-être.

— Une commissaire-priseuse, une femme charmante qui connaissait très bien son métier, a été assassinée cette semaine.

Nikki sursauta.

— Vous savez quelque chose à propos de ce meurtre ?

— Non, j'avais simplement eu l'occasion de rencontrer Barbara il y a quelques années. C'était une des meilleures. Disons simplement que savoir que sa mort est mêlée à cette histoire m'implique un peu plus dans votre enquête.

— Je vous remercie. Surtout, appelez-moi si vous avez de nouvelles informations.

— Lieutenant, j'ai des informations tout de suite. Faites-moi confiance, je n'aurais gâché ni votre temps ni le mien si je n'avais pas du concret.

Nikki ouvrit son carnet.

— Quelqu'un a essayé de vendre les toiles ?

— Oui et non, répondit Casper. Quelqu'un a bel et bien vendu un de ces tableaux, un Jacques-Louis David. Mais cela remonte à deux ans.

Nikki commença à faire les cent pas.

— Comment ça ? Vous en êtes certain ?

Il y eut une pause avant que le pimpant voleur d'art lui réponde :

— Ma chère, réfléchissez à ce que vous savez de moi et demandez-vous si vous avez vraiment besoin d'une réponse à cette dernière question.

— Un point pour vous. Je ne doute pas de votre parole, je suis juste un peu désemparée. Comment une peinture peut-elle se retrouver dans la collection de Matthew Starr si elle a été vendue il y a deux ans ?

— Lieutenant, vous êtes intelligente. Est-ce que vous êtes bonne en maths ?

— Assez, oui.

— Alors, faites un peu de calcul mental.

Casper raccrocha.

17

La réceptionniste de Starr Real Estate répondit immédiatement et lui dit que Paxton allait la prendre. Nikki avait l'impression d'être obligée de tirer sur sa laisse. Même la voix d'Anita Baxter sur le répondeur n'arrivait pas à l'apaiser.

Ce n'était pas la première fois dans sa vie qu'elle semblait vivre à un autre rythme que le reste du monde.

Grand Dieu, ce n'était même pas la première fois de la journée !

Enfin, elle obtint le poste.

— Bonjour, désolé de vous avoir mise en attente. J'ai beaucoup d'affaires de Matthew Starr sur les bras.

Cela pouvait avoir de nombreuses significations.

— C'est la dernière fois que je fais appel à vous, je vous promets.

— Vous ne m'ennuyez pas, vraiment. (Puis il se mit à rire...) Bien que...

— Bien que quoi ?

— Je me demande si cela ne serait pas plus facile si j'installais mon bureau dans vos locaux !

Nikki rit elle aussi.

— Je n'y vois pas d'inconvénients. Vous avez une plus belle vue, mais on a de plus beaux meubles. Si cela vous dit ?

— Je crois que j'en reste à la vue. Alors, que puis-je pour vous, lieutenant ?

— J'espérais que vous pourriez me trouver le nom de la compagnie qui assurait les toiles de Matthew Starr.

— Bien sûr. (Il marqua une pause.) Mais vous n'avez pas oublié... La police avait été résiliée.

— Oui, je sais. Je veux simplement leur demander s'ils ont conservé des photographies de la collection. Cela me serait utile pour retrouver les tableaux.

— Ah ! les photos, oui, bien sûr. Je n'y avais pas pensé. Bonne idée. Vous avez de quoi noter ?

— Oui.

— C'est Goth American Insurance, ici à Manhattan.

Elle entendit taper sur un clavier et attendit.

— Vous voulez le numéro ?

Après l'avoir noté, Nikki demanda encore :

— Puis-je encore vous poser une question ? Cela m'évitera d'appeler plus tard.

Elle entendit le sourire dans la voix de Noah lorsqu'il répondit :

— Cela m'étonnerait fort, mais allez-y !

— Vous avez libéré des fonds pour que Kimberly Starr achète un piano, dernièrement ?

— Un piano ? Un piano ? Non.

— Eh bien, elle en a acheté un. (Heat regarda la photo du salon de Starr dans sa main.) Un

Steinway, édition Karl Lagerfeld. Une petite merveille.

— Ah! Kimberly, Kimberly!

— Cela vaut dans les huit mille. Comment peut-elle s'offrir ça?

— Bienvenue dans mon monde, lieutenant Heat. Ce n'est pas la pire folie qu'elle ait jamais commise. Vous voulez que je vous parle du hors-bord qu'elle a acheté à l'automne dernier dans les Hamptons?

— Où trouve-t-elle l'argent?

— Ce n'est pas moi qui le lui donne.

Nikki consulta sa montre. Elle aurait peut-être le temps d'aller voir l'assurance avant midi.

— Merci, Noah, c'est tout ce qu'il me fallait.

— Jusqu'à la prochaine fois, vous voulez dire.

— Vous êtes sûr de ne pas vouloir un coin de bureau chez nous?

Ils rirent tous les deux et raccrochèrent.

Heat accompagna son « Yessss! » d'un poing serré lorsque Raley termina son appel avec le responsable des archives de Goth American. Non seulement ils prenaient des photographies des collections qu'ils assuraient, mais ils les conservaient pendant sept ans après la résiliation de la police.

— On pourra les avoir quand?

— Plus vite que pour passer mes restes au micro-ondes!

— C'est-à-dire, exactement?

— Le responsable m'envoie le fichier par mail en ce moment même.

— Transmettez-le à la scientifique dès qu'il arrive.

— J'ai demandé à Goth American de les mettre en copie.

— Raley, vous êtes le tsar du multimédia ! dit Nikki en lui donnant une tape sur l'épaule.

Elle attrapa son sac et courut vers les bureaux de l'identité judiciaire sans voir Rook qu'elle bouscula au passage.

Le monde n'avait pas encore rattrapé la vitesse de Nikki Heat.

Lorsqu'elle était proche de boucler une affaire, personne n'avait la moindre chance.

Elle retourna dans le bureau une heure et demie plus tard, avec le visage impénétrable que Rook lui avait vu lors de cette scène de publicité pour parfum sur le balcon.

— Vous avez du nouveau ? demanda-t-il.

— Oh ! juste que les tableaux de Matthew Starr étaient des faux.

Il bondit sur ses pieds.

— Tous ?

— Des faux.

Elle passa la lanière de son sac sur le dos de sa chaise.

— Ceux des dossiers de l'assurance sont authentiques. Ceux que Barbara Deerfield a pris en photo ? Pas vraiment.

— C'est énorme !

— Cela fournit un mobile pour l'assassinat de la commissaire-priseuse.

— C'est justement à ça que je pensais !

— Ah bon ? C'est vrai ?

282

— Je suis journaliste. Moi aussi, je sais décrypter des indices, vous savez !

Puisqu'il était d'humeur badine, elle lui emboîta le pas.

— Super. Alors, qui avait le mobile ?

— Pour assassiner Barbara Deerfield ? Pochenko.

— De sa propre initiative ? J'en doute.

Il réfléchit un instant.

— Qu'est-ce que vous en pensez ?

— Je vais vous dire ce que j'en pense. Je pense qu'il est encore trop tôt pour que j'abatte mes cartes.

Elle s'approcha du tableau et cocha la ligne *Vérifier les photos de l'assurance*.

Il la suivit comme un petit chien et elle se sourit à elle-même.

— Mais vous avez une idée en tête !

Elle haussa les épaules.

— Vous avez un suspect ?

Nikki lui adressa un grand sourire et retourna à son bureau, Rook derrière ses talons.

— Vous en avez un ! Qui ?

— Rook, je croyais que je vous avais toujours dans mes pattes pour que vous puissiez comprendre comment fonctionne l'esprit d'un enquêteur de la criminelle.

— Oui, et alors ?

— Si je vous le disais, cela ne vous servirait à rien. Vous savez ce qui vous serait vraiment utile ? Ce serait que vous le découvriez par vous-même.

Elle décrocha le téléphone et appuya sur une touche d'appel abrégé.

— Ça a l'air de donner beaucoup de boulot !

Elle leva la main pour le faire taire pendant qu'elle écoutait la sonnerie.

Il porta les articulations des doigts à sa bouche et pinça les lèvres, brûlant d'impatience. Elle adorait le faire marcher, ça l'amusait. De plus, si elle se trompait, elle ne voulait pas qu'il le sache.

Quelqu'un finit par répondre.

— Bonjour, lieutenant Heat de la Deux... Oh ! Je voulais que vous procédiez au transfèrement d'un prisonnier. Buckley, Gerald Buckley. Je vous en prie...

— Vous ne croyez pas que vous misez sur le mauvais cheval ? Ce type n'a rien à vous apprendre. Surtout avec sa copine d'avocate marronne..., dit Rook.

Nikki lui adressa un sourire narquois.

— Ah ! mais ça, c'était hier en salle d'interrogatoire. Aujourd'hui, on va faire une petite pièce de théâtre.

— Quel genre ?

— La pièce ! « C'est là que je piégerai la conscience du roi[1] », dit-elle avec des accents élisabéthains.

— Vous vouliez vraiment être actrice, alors ?

— J'en suis peut-être une. Venez, on va voir ça !

Heat, les Gars et Rook attendaient devant le bureau du médecin-chef à la morgue de Kips Bay lorsque les gardiens amenèrent Gerald Buckley, accompagné de son avocate.

---

1. *Hamlet*, acte II, scène 2, traduction François Maguin. (NDT).

Nikki le toisa.

— La salopette vous va bien, monsieur Buckley. Alors, est-ce que la prison de Rikers Island est digne de sa réputation ?

Buckley détourna la tête, un peu comme un chien qui fait semblant de ne pas avoir déposé la crotte toute fraîche sur le tapis neuf. Son avocat intervint.

— J'ai conseillé à mon client de ne répondre à aucune question. Si vous avez des charges contre lui, prouvez-le. Mais aucun interrogatoire sans cela, à moins que vous n'ayez du temps à perdre.

— Merci, maître. Il ne s'agit pas d'un interrogatoire.

— Pas d'un interrogatoire ?

— C'est exact.

Le lieutenant attendit que Buckley et son avocate échangent des regards perplexes.

— Par ici.

Nikki mena la petite troupe – Buckley, son avocate, les Gars et Rook – dans la salle d'autopsie où Lauren Parry se tenait près d'une table en inox couverte d'un drap.

— Qu'est-ce qu'on fiche ici ? protesta Buckley.

— Gerald ! s'exclama l'avocate.

Buckley fit la moue. L'avocate se tourna vers Nikki.

— Que faisons-nous ici ?

— Il vous paie pour ça ? Répéter ce qu'il vient de dire ?

— J'exige de savoir pourquoi vous avez amené mon client dans un tel lieu.

Nikki sourit.

— Nous avons besoin d'une identification. Je crois que monsieur Buckley peut nous aider.

Buckley se pencha le plus près possible vers l'oreille de son avocate et commençait à murmurer : « Je ne veux pas voir de maccha... » lorsque Lauren Parry souleva le drap et révéla le cadavre.

Vitya Pochenko portait encore les vêtements dans lesquels on l'avait trouvé. Nikki avait téléphoné pour débattre du sujet à son amie qui trouvait que découvrir un corps nu provoquait un choc difficile à surmonter. Comme Heat avait réussi à la persuader que le Grand Lac de sang séché sur le t-shirt blanc était plus éloquent encore, c'était donc ainsi que la présentation s'effectuait.

Le Russe était allongé sur le dos, les yeux encore ouverts, pour renforcer l'impact, les pupilles totalement dilatées, offrant une fenêtre noire sur son âme.

Toute couleur avait disparu de son visage, en dehors d'une intense rougeur près d'une mâchoire, là où la gravité avait entraîné le sang pendant que le corps était resté allongé sur le banc.

Et puis, on voyait encore l'horrible brûlure ocre et rosâtre qui couvrait toute une joue.

Nikki vit la lividité envahir les joues et les lèvres de Gerald Buckley qui n'était qu'à deux tons, sur le nuancier du négociant en peinture, de celle de Pochenko.

— Lieutenant Heat, si je peux me permettre de vous interrompre, j'ai pu déterminer le calibre de l'arme.

— Excusez-nous un instant, dit Nikki à Buckley.

Il esquissa un demi-pas salvateur vers la porte, ses yeux incrédules toujours fixés sur le corps.

Ochoa lui barra la route et Buckley s'arrêta avant de le toucher.

Gerald Buckley gardait son calme. Son avocate avait trouvé une chaise et s'était assise un peu à l'écart, respectant en tous points la mise en scène prévue.

Nikki arracha une paire de gants et alla rejoindre le légiste près de la table. Lauren posa un doigt expert sur le crâne de Pochenko et fit lentement tourner la tête pour montrer le trou fait par la balle derrière l'oreille. Une petite mare de fluide cérébral coula sur l'acier inoxydable, et Buckley poussa un gémissement horrifié.

— J'ai pris des mesures et effectué des comparaisons balistiques après notre reconstitution sur les lieux.

— Six trente-cinq ? demanda Nikki.

— Six trente-cinq.

— Un bien petit calibre pour faire tomber un tel colosse.

La légiste acquiesça.

— Même un petit calibre se montre sacrément efficace quand on tire dans la tête. En fait, l'une des armes les plus utilisées est la Winchester X25.

Dans la plaque métallique de la balance, Heat voyait le reflet de Buckley qui tendait le cou pour capter la conversation.

— Cette balle est fabriquée comme une pointe creuse, mais ces balles BB se dilatent à l'intérieur du corps, une fois le coup tiré.

— Waouh! Alors, quand la BB a touché la cervelle, c'était un peu comme donner un coup de marteau dans une assiette d'œufs brouillés! dit Raley.

Terrifié, Buckley le fixait, si bien que, pour faire bonne mesure, il ajouta :

— On devait se croire au premier rang d'un spectacle de Gallagher[1]...

— Plus ou moins, dit Lauren. On en saura plus une fois qu'on lui aura ouvert le crâne pour aller à la chasse au trésor, mais je parie que c'est ce qu'on trouvera.

— S'il s'était muni d'un si petit calibre, celui qui l'a tué savait qu'il pourrait l'approcher de près.

— Sans aucun doute, dit Lauren. Il savait ce qu'il faisait. Un petit calibre, facile à dissimuler. La victime n'a rien vu venir. Ça pouvait se passer n'importe quand, n'importe où.

— Pop! dit Ochoa.

Sur le point de flancher, Buckley gémissait de frayeur.

Heat s'approcha de lui en s'assurant bien de ne pas obstruer la vue du cadavre.

Devant la porte, l'homme ressemblait à un poisson sur un quai. Ses lèvres s'ouvraient et se fermaient, mais aucun son n'en sortait.

— Reconnaissez-vous cet homme ?

---

1. Leo Anthony Gallagher est reconnu comme un critique virulent de la société américaine. Son « Sledge-O-Matic », une imposante massue de bois avec laquelle il écrase fruits, légumes et autres objets divers, est apparu dans ses shows dans les années 1980 et est devenu le label de l'artiste.

Buckley rota et Nikki craignit un instant qu'il vomisse sur elle, mais il se ressaisit et retrouva sa voix.

— Comment quelqu'un a-t-il pu faire ça à... Pochenko ?

— Les gens qui sont impliqués dans cette affaire meurent, Gerald. Vous êtes sûr de ne pas vouloir me donner de noms avant de faire partie du lot ?

Buckley n'en croyait toujours pas ses yeux.

— C'était un vrai sauvage. Ça le faisait rire quand je le traitais de Terminator. Personne ne pouvait le tuer !

— Quelqu'un y est arrivé. Une seule balle dans la tête. Et je parie que vous savez qui. (Elle compta jusqu'à trois.) Qui vous a demandé de voler cette collection ?

L'avocate se leva.

— Ne répondez pas à cette question !

— Finalement, vous ne le savez peut-être pas.

Son ton décontracté n'en était que plus intimidant. Au lieu de crier et de le harceler, elle s'en lavait les mains.

— Je crois que nous courons après notre queue. On devrait vous libérer. Après tout, vous nous avez fait des aveux. On va vous laisser réfléchir tranquillement à tout cela dehors. On verra combien de temps vous tenez.

— C'est une véritable proposition ? demanda l'avocate.

— Ochoa ? Enlevez-lui les menottes.

Derrière lui, Ochoa fit tinter un trousseau de clés et Buckley se recroquevilla comme s'il avait entendu un fouet claquer.

— Ce n'est pas ce que vous désirez, Gerald ?

L'homme oscillait sur ses jambes. Des filets de salive lui collaient la langue au palais.

— Qu'est... Qu'est-il arrivé à son visage ? demanda Buckley en montrant sa propre joue.

— Oh ! ça ? C'est moi ! Je l'ai brûlé avec un fer à repasser, dit-elle d'un ton léger.

Il regarda Lauren, qui confirma d'un signe de tête. Il regarda Heat, puis Pochenko, et de nouveau Heat.

— Très bien.

— Gerald, dit l'avocate. Fermez-la !

— C'est vous qui allez la fermer ! dit Gerald Buckley avant de se tourner vers Nikki et de continuer doucement, résigné. Je vais vous dire qui m'a embauché pour voler les tableaux.

Nikki se tourna vers Rook.

— Excusez-moi, vous voulez bien. Est-ce que vous pourriez attendre dehors pendant que nous bavardons un peu, monsieur Buckley et moi ?

18

Sur le chemin du retour, Nikki n'avait pas besoin de se retourner pour savoir que Rook était furax. Elle en mourait d'envie pourtant, car le voir ainsi se ronger les sangs sur la banquette arrière l'aurait fait jubiler.

— Eh! mec. Tu es malade en voiture ou quoi? lui demanda Ochoa, assis à côté de lui.

— Non, dit Rook. À moins que j'aie pris froid dans le couloir pendant que Buckley crachait le morceau.

Heat avait de plus en plus envie de se retourner.

— Tu parles d'une pièce de théâtre! On m'a fichu à la porte pendant le dernier acte.

Raley freina au feu de la 7ᵉ Avenue.

— Hé! quand un type commence à l'ouvrir, moins il y a de monde, mieux c'est. Et personne n'a envie d'avoir un journaleux dans les pattes!

Nikki s'appuya sur le repose-tête et lut la température sur le gigantesque thermomètre de Madison Square Garden. Quatre-vingt-dix-neuf degrés Fahrenheit – trente-sept degrés centigrades!

— Vous savez sans doute quel nom Buckley a donné, non ?

— Dites-le-moi et je vous donnerai le mien, dit-il, ce qui ne manqua pas de déclencher quelques ricanements dans la Crown Victoria.

— Depuis quand c'est un bizutage ? protesta Rook.

— Ça n'a rien d'un bizutage ! Vous voulez vivre comme un policier, non ? Alors, faites la même chose que nous, pensez comme nous.

— Pas comme Raley. Lui, il pense de travers, dit Ochoa.

— Je vais même vous aider, dit Heat. Qu'est-ce qu'on sait ? Que les tableaux sont faux et qu'ils avaient déjà disparu lorsque Buckley et son équipe sont arrivés. Je continue, ou vous avez déjà deviné ?

Le feu passa au vert et Raley repartit.

— J'élabore une théorie, dit Rook.

Finalement, elle s'appuya sur son coude et se tourna vers lui.

— Ce n'est pas tout à fait la même chose que donner un nom.

— D'accord. Agda, dit-il après une petite pause.

Rook attendait une réponse, mais, comme il n'obtint que d'autres regards, il remplit le vide.

— Elle avait accès à l'appartement ce jour-là. Et j'ai repensé à son interrogatoire. Je ne crois pas à son attitude de nounou naïve ni aux petites caresses innocentes sur l'épaule. Elle se faisait Matthew Starr. Et je crois qu'il l'a plaquée, comme ses autres maîtresses. Elle était furieuse, elle a voulu une compensation.

— Pour vous, c'est Agda qui l'a tué ?

— Oui. Et qui a volé les tableaux.

— Intéressant. (Elle réfléchit un instant.) J'imagine que vous savez aussi pourquoi elle a fait assassiner la commissaire-priseuse. Et comment elle a fait sortir les tableaux ?

Rook cessa de croiser son regard et baissa les yeux vers ses chaussures.

— Je n'ai pas comblé tous les trous, ce n'est encore qu'une théorie.

Elle regarda ses collègues pour avoir leur avis.

— C'est un processus de réflexion, on a compris.

— J'ai raison ?

— Je ne sais pas. À votre avis ?

Elle se tourna pour qu'il ne voie pas son sourire.

Rook, Raley et Ochoa durent se presser pour suivre Heat qui rentrait au poste. À peine installée au bureau, Nikki ouvrit le tiroir des fichiers.

— Ça y est ! Je sais, dit Rook qui arrivait derrière elle. Quand Agda a-t-elle commencé à travailler pour les Starr ?

— Il y a deux ans, dit Heat sans se donner la peine de le regarder, tout occupée qu'elle était à consulter les photos du fichier.

— Et quand Casper a-t-il dit que la peinture s'était retrouvée sur le marché noir ? Exact, il y a deux ans !

Rook attendit, mais elle feuilletait toujours les photos.

— Agda a fait sortir les tableaux du Guilford parce qu'elle ne travaille pas seule. Je crois que notre Suédoise fait partie d'une bande de voleurs d'art... Un réseau international de receleurs et de faussaires...

— Hum, hum...

— Elle est jeune, elle est jolie, elle pénètre dans les demeures des riches et peut s'emparer des œuvres d'art. C'est leur infiltrée... Leur nounou espionne.

— Et pourquoi un réseau international serait assez stupide pour voler une collection de faux ?

— Ils n'étaient pas faux quand ils les ont volés.

Il croisa les bras, plutôt fier de lui.

— Je vois, dit Nikki. Et vous ne croyez pas que les Starr s'en seraient aperçus si leur nounou était sortie avec une toile sous le bras ? Ou qu'ils n'auraient pas vu le vide sur le mur ?

Il réfléchit et se referma.

— Vous avez des questions pour tout, c'est ça ?

— Rook, si on ne bouche pas les trous, les avocats de la défense s'en chargeront. C'est pour cela que je dois avoir un dossier solide.

— Ce n'est pas ce que je viens de présenter ?

— Vous voyez bien que moi, je cherche toujours.

Elle trouva la photo qu'elle désirait et la glissa dans une enveloppe.

— Les Gars ?

Raley et Ochoa s'approchèrent de son bureau.

— Vous allez prendre votre diligence pour une petite course en dehors de la ville avec cette photo de Gerald Buckley. Allez à l'endroit dont il nous a parlé à la morgue. Cela ne devrait pas être trop difficile à trouver. Montrez la photo, voyez si vous obtenez des réactions, et je veux vous voir revenir ici fissa !

— En dehors de la ville ! Comment j'ai pu rater ça ! Oh ! d'accord. Buckley s'est mis hors du coup... Laissez-moi deviner. Vous voulez savoir si Agda a menti à propos de la nuit à l'université alors qu'en fait elle était ailleurs, avec les tableaux.

— Raley, vous avez une carte ?

— Je n'en ai pas besoin.

— Non, mais Rook si, dit Nikki. Il passe son temps le nez sur la sienne !

Après le départ des Gars, elle rangea le fichier dans son tiroir. Rook observait toujours.

— Qu'est-ce qu'on fait ?

Nikki lui indiqua une chaise.

— Nous ? Nous ? Cela veut dire que vous, vous allez mettre vos fesses de lauréat du Pulitzer en dehors de mon chemin pendant que je vais à la pêche aux mandats.

Rook s'assit.

— À la pêche ? Il va vous en falloir plusieurs ?

— Oui, plusieurs. Deux au moins, plus un pour une écoute. (Elle regarda sa montre et murmura une injure.) La journée est à moitié terminée et il me les faut tout de suite.

— Euh... Je crois pouvoir vous être utile si vous êtes pressée.

— Non, Rook.

— C'est fastoche.

— J'ai dit non. Restez en dehors de ça.

— Je l'ai déjà fait.

— En dépit de mes instructions.

— Et j'ai obtenu votre papelard.

Il regarda tout autour de lui pour s'assurer qu'ils étaient seuls et murmura :

— Après la nuit dernière, je pensais qu'on avait dépassé ce stade.

— N'y pensez pas !

— Laissez-moi vous aider !

— Non. N'appelez pas le juge Simpson.

— Donnez-moi une bonne raison.

— Parce que maintenant que le juge et moi nous avons joué au poker ensemble, dit-elle en décrochant le téléphone, je peux m'en charger moi-même.

— Tu couches avec moi, tu te fiches de mes théories et tu me voles mes amis ! dit Rook en croisant les bras. Eh bien, puisque c'est comme ça, je ne te présenterai pas Bono !

Horace Simpson apparut avec les mandats ainsi qu'une assignation pour que Nikki revienne le plus vite possible à la table de poker de Rook et qu'il puisse ainsi récupérer ses pertes.

Et penser que, pendant toutes ces années, Nikki devait passer par tous les arcanes possibles et imaginables pour contacter un juge !

Obtenir les mandats se révéla être la partie la plus facile. Il fallait du temps pour monter des écoutes, ce qui signifiait des heures d'attente. Cela lui ressemblait très peu. Elle entra dans le bureau du capitaine Montrose et attrapa son sac.

— Qu'est-ce qu'il y a encore ? demanda Rook.

— Le capitaine a mobilisé une équipe pour moi. Je vais m'en servir pour mettre mes mandats à exécution.

Il se leva pour l'accompagner.

— Désolée, Rook. Nous sommes dans une phase critique. Il n'y a que la police qui…

— Oh! voyons… Je resterai dans la voiture, c'est promis. Il fait chaud…, mais laissez la fenêtre entrouverte. On dit que c'est dangereux; je prendrai une bouteille d'eau.

— Vous êtes mieux ici, à passer vos indices en revue. Vous avez tout un tableau blanc à étudier, vous avez la clim, et tout le temps que vous voulez… Tout le temps.

Tandis qu'elle traversait la pièce, elle dit :

— N'oubliez pas : mettez-vous dans la peau d'un policier !

— Vous feriez aussi bien de m'emmener : je sais où vous allez.

Elle s'arrêta. Lorsqu'elle se tourna vers lui, il ajouta :

— Au Guilford. Et dans un garde-meuble privé à Varick.

Elle baissa les yeux vers son sac.

— Vous avez regardé les mandats ! C'est ça…

— J'ai fait mon boulot de journaliste.

Deux heures plus tard, Heat retrouva Rook devant le tableau blanc.

— De nouvelles théories pendant mon absence ?

— En fait, oui.

Elle alla à son bureau et écouta sa messagerie. Vide. Frustrée, elle reposa brusquement le combiné et regarda sa montre.

— Vous allez bien ? Des ennuis avec les mandats ?

— *Au contraire !* Je m'énerve à cause des écoutes. Le reste, ça s'est passé comme sur des roulettes. On ne pouvait rêver mieux !

— Qu'est-ce que vous avez trouvé ?

— Vous d'abord ! Quelle est la nouvelle théorie ?

— Euh... J'ai réfléchi et je sais qui c'est...

— Ce n'est plus Agda ?

— Pourquoi ? C'est elle ?

— Rook.

— Désolé, désolé... D'accord. J'ai laissé tomber Agda. Mais j'ai repensé à un truc qu'elle a dit à propos du nouveau piano.

Cette remarque suscita l'intérêt de Nikki. Elle s'assit sur le coin de son bureau, les bras croisés sur la poitrine.

— Je chauffe ? demanda-t-il.

— Je ne rajeunis pas, dépêchez-vous !

— Quand vous l'avez interrogée, Agda a dit que le nouveau piano était splendide, qu'elle s'en était presque évanouie quand on l'avait sorti de la caisse. (Il marqua une pause.) Depuis quand livre-t-on des pianos dans des caisses ? Ça ne tient pas debout !

— Intéressant, j'attends la suite.

En fait, elle pêchait déjà dans les mêmes eaux : elle était curieuse de savoir où il voulait en venir.

— On sait que le piano a été bel et bien livré, parce qu'on l'a vu après le cambriolage. Alors, je me suis demandé, pourquoi apporter une caisse, si ce n'est pas pour la remplir une fois que le piano n'y serait plus ?

— Et maintenant, vous allez me dire qui est votre coupable ?

— Bon, le livreur de piano est de toute évidence une couverture pour les voleurs de tableaux.

— C'est votre dernier mot ?

L'expression plate qu'elle arborait le fit faire marche arrière. Nikki avait envie d'éclater de rire. Mais elle s'en tint à son visage de joueuse de poker.

— Ou… Laissez-moi finir. Vous avez un mandat pour le Guilford et un garde-meuble. Je m'en tiens à mon scénario de la caisse à piano. Mais disons que c'est… Kimberly Starr.

Bien qu'elle ait gardé sa neutralité, Rook commença à s'animer.

— J'ai raison, je le sais. Je le vois sur votre visage. Alors, dites-moi que je me trompe, pour voir…

— Je ne vous dis rien du tout…

Raley et Ochoa entrèrent dans le bureau. Heat alla à leur rencontre.

— Je ne voudrais pas gâcher le plaisir. Raley et moi, on a montré la photo de Buckley un peu partout.

— On a fait deux touches. Ça sent bon !

— Ça sent très bon !

Nikki se laissa envahir par le frisson des événements qui s'accéléraient.

— Et ils vont témoigner ?

— Affirmatif, dit Raley.

Le téléphone de Nikki sonna et elle se précipita pour décrocher.

— Lieutenant Heat…

Elle ne cessait de hocher la tête, comme si son interlocuteur pouvait la voir.

— Excellent… Parfait. Merci beaucoup.

Lorsqu'elle raccrocha, elle se tourna vers son équipe.

— Les écoutes sont en place. Ça va déménager !

Pour une fois, les événements allaient à son rythme.

Nikki et Rook étaient assis dans un coin de la petite pièce, genou contre genou, sur les chaises de métal pliantes derrière le technicien qui enregistrait les communications. Comme la climatisation sifflait, Heat l'avait coupée pour éviter toute perturbation et il faisait une chaleur étouffante.

Une diode bleue scintilla sur la console.

— Ça sonne ! dit le technicien.

Heat mit les écouteurs. La sonnerie ronronnait. Sa respiration se coupa, un peu comme pendant la descente à Long Island, mais cette fois elle fut incapable de se calmer. Son cœur tambourinait à une cadence disco, jusqu'à ce qu'elle entende le petit clic. Quelques battements sautèrent.

— Allô ?

— Je vous appelle sur votre ligne directe, car je ne veux pas que la standardiste sache que j'ai appelé, dit Kimberly Starr.

— Bon, répondit Noah Paxton, qui semblait méfiant, mais je ne vois vraiment pas pourquoi.

Nikki fit un signe au technicien pour s'assurer qu'il enregistrait bien. Il hocha la tête.

— Vous n'allez pas tarder à comprendre, continua Kimberly.

— Il y a quelque chose qui ne va pas ? Vous avez l'air bizarre ?

Nikki plissa les paupières et, ne voulant manquer aucune syllabe, ferma les yeux pour se concentrer. Avec les écouteurs, le son avait une qualité inouïe.

Elle pouvait tout capter : le grincement de la chaise sur laquelle Noah était assis ; la déglutition difficile de Kimberly...

Pour l'instant, Nikki attendait. Pour l'instant, elle guettait les mots.

— J'ai besoin de votre aide. Je sais que vous le faisiez souvent pour Matthew, et maintenant, je veux que vous le fassiez pour moi.

— Faire quoi ? dit-il, toujours sur ses gardes.

— Voyons, Noah, ne faites pas l'idiot. Nous savons tous les deux que Matt maniait des affaires louches et que c'était vous qui arrangiez le coup. Maintenant, c'est moi qui ai besoin de vous.

— Je vous écoute.

— J'ai les tableaux.

Nikki se surprit à serrer les poings et elle ouvrit les doigts aussitôt.

La chaise de Paxton grinça.

— Je vous demande pardon ?

— Je ne parle pas anglais ? Noah, la collection. Elle n'a pas été volée. C'est moi qui l'ai prise. Je l'ai cachée.

— Vous ?

— Pas toute seule. J'ai demandé à des types de s'en charger pendant que j'étais en week-end. Bon, peu importe. Je les ai et je veux que vous m'aidiez à les vendre.

301

— Kimberly, vous avez perdu la tête !

— Ce sont mes tableaux. Je n'ai pas eu d'assurance. Il faut bien qu'il me reste quelque chose après toutes ces années passées avec ce fils de pute !

À présent, c'était à Nikki d'avaler sa salive. Cela commençait à prendre forme. Son cœur semblait vouloir s'échapper de sa poitrine.

— Qu'est-ce qui vous fait croire que je saurais comment m'y prendre ?

— Noah, j'ai besoin d'aide. Vous étiez le conseiller de Matthew ; je veux que vous soyez le mien. Et si vous ne voulez pas m'aider, je trouverai quelqu'un qui s'en chargera.

— Oh ! oh ! Kimberly, pas si vite !

Un autre sifflement de la chaise pneumatique, et Heat voyait déjà Noah qui se levait derrière son bureau en fer à cheval.

— N'en parlez à personne. Vous m'entendez ?

— Je vous écoute.

— On devrait discuter de tout cela. Il y a toujours une solution à tout. Il suffit de garder la tête froide. Où sont les tableaux ?

Une vague d'impatience submergea Nikki et l'emporta jusqu'à ce qu'elle ait l'impression de voguer sur la crête. Un filet de sueur ruisselait sur l'oreillette de plastique d'un des écouteurs.

— Ils sont ici, dit Kimberly.

— Et où êtes-vous ?

— Au Guilford. Malin ! Ils les ont cherchés partout, mais ils n'ont jamais quitté le bâtiment !

— Bon, écoutez-moi. N'appelez personne ! Détendez-vous. Il faut que l'on parle de tout cela en tête à tête. D'accord ?

— D'accord.

— Bien. Restez où vous êtes. J'arrive.

Il raccrocha.

Nikki ôta ses écouteurs. Lorsque Rook enleva les siens, il s'exclama :

— Vous voyez ! J'avais raison, c'est Kimberly ! Alors, on ne me félicite pas ? dit-il en ouvrant la main pour qu'on lui tape dedans.

— On ne s'amuse pas à ça !

Rook se leva.

— Écoutez, on ferait mieux d'y aller pour arriver avant Noah. Si cette femme a tué son mari, Dieu sait de quoi elle est capable.

— Merci du tuyau, agent Rook.

Il lui tint la porte et ils sortirent.

19

Heat, Raley et Rook traversèrent le hall, du Guilford pour aller vers les ascenseurs. Lorsque les portes s'ouvrirent, Nikki mit la paume de sa main sur la poitrine de Rook.

— Holà! Où est-ce que vous allez?

— Avec vous.

— Pas question! Vous restez ici.

Les portes automatiques tentaient de se refermer. Ochoa les bloqua avec son épaule pour les empêcher de rebondir.

— Oh! s'il vous plaît? J'ai fait tout ce que vous m'avez dit. J'ai réfléchi comme un policier et je mérite d'être là lorsque vous l'arrêterez. Ce sera ma récompense.

Lorsque les trois policiers éclatèrent de rire, Rook recula d'un millimètre.

— Et si je vous attendais plutôt dans le corridor?

— Vous m'aviez promis d'attendre dans le hall lorsque j'ai arrêté Buckley.

— Bon, bon, d'accord, je me suis impatienté une fois.

— Et à Long Island, qu'est-ce que vous avez fait quand je vous ai dit d'attendre à l'écart?

Rook donna un coup de pied dans le bord du tapis.

— Écoutez, cela ressemble plus à une intervention qu'à une arrestation.

— Je vous promets que nous ne vous ferons pas attendre longtemps. Après tout..., dit-elle avec une solennité feinte, nous vous devons bien ça.

Elle entra dans l'ascenseur avec les Gars.

— Eh bien, rien que pour ça, je ferai mon article sur quelqu'un d'autre.

— Ça me fend le cœur, dit-elle alors que les portes se refermaient.

Lorsqu'elle franchit la porte d'entrée de l'appartement, elle trouva Noah Paxton, seul dans le salon.

— Où est Kimberly ?

— Elle n'est pas là.

Raley et Ochoa entrèrent derrière Nikki.

— Vérifiez toutes les pièces.

Ochoa et Raley disparurent dans le couloir.

— Kimberly n'y est pas, dit Paxton, j'ai vérifié.

— Nous, on est des gens bizarres : on veut toujours tout vérifier nous-mêmes.

Du regard, elle parcourut toute la collection, accrochée à sa place, du sol au plafond, comme si elle n'avait jamais disparu.

— Les toiles... Elles sont toutes là !

Noah semblait partager son étonnement.

— Je ne comprends pas non plus. J'essaye de comprendre d'où elles peuvent bien sortir.

— Ça suffit, Noah, le spectacle est terminé.

Elle regarda le sillon qui s'approfondissait entre les sourcils.

— Elles n'ont jamais quitté le Guilford ? C'est bien ça ? Nous avons écouté votre conversation téléphonique il y a moins de vingt minutes.

— Je vois.

Il réfléchit pendant quelques secondes, repensant sans doute à ce qu'il avait dit et se demandant s'il pouvait être considéré comme complice.

— Je lui ai dit que c'était insensé.

— En voilà, un bon citoyen !

Il écarta les mains.

— Je suis désolé, lieutenant. Je sais que j'aurais dû vous appeler. Je suppose que j'ai obéi à mon instinct et que j'ai voulu protéger la famille. Je suis venu ici pour la raisonner. Il est trop tard maintenant. (Nikki haussa les épaules.) Quand avez-vous compris qu'elle les avait volés ? Pendant ce coup de téléphone ?

— Non. Ma sonnette d'alarme s'est mise à retentir lorsque j'ai appris que notre veuve inconsolable avait acheté un piano et quitté la ville au moment de la livraison. Est-ce que Kimberly vous paraît du genre à confier ses précieuses antiquités à une équipe de livreurs et une nounou débile ? (Nikki s'approcha du Steinway et frappa sur une touche.) Nous avons interrogé le gardien. Il a confirmé que les livreurs étaient arrivés avec une immense caisse, mais qu'il ne les avait pas vus repartir avec. Cela avait pu lui échapper, je suppose, avec la confusion créée par le black-out.

Noah sourit et hocha la tête.

— Waouh !

— Je sais, je sais, Kimberly est une véritable cachottière, n'est-ce pas ? Les tableaux ne sont jamais sortis du bâtiment.

— Ingénieux, dit Paxton. Ce n'est pas un mot que j'aurais associé à Kimberly Starr.

— Elle n'est pas aussi maligne qu'elle le croyait.

— Comment ça ?

Nikki avait répété et répété cette conversation dans sa tête, si bien que tout était d'une limpidité de cristal pour elle. Elle avait réussi à embarquer Noah dans son raisonnement.

— Vous saviez que Matthew avait changé d'avis à propos de la vente de sa collection ?

— Non, je l'ignorais.

— Eh bien, si. Le jour de sa mort, Barbara Deerfield, une employée de Sotheby's, était venue pour estimer les tableaux. Elle a été assassinée avant de rentrer au bureau.

— C'est affreux !

— Je crois que son meurtre est lié à celui de Matthew.

Le front de Noah s'assombrit.

— C'est tragique, mais je ne vois pas le rapport.

— J'ai eu du mal, moi aussi. Je me suis posé des questions. Pourquoi tuer un commissaire-priseur ? C'est là que j'ai découvert que toutes les toiles de Matthew Starr étaient des faux.

Une pâleur envahit les joues de Noah Paxton.

— Des faux ?

Son regard parcourut les murs et s'arrêta sur un tableau près de l'arche, un cadre encore recouvert d'un drap.

— Oui, des faux, Noah. (Il lui retourna son attention.) Toute la collection, sans une seule exception.

— Comment est-ce possible ? Matthew a payé des fortunes pour ces tableaux et les a toujours achetés à des marchands dignes de confiance.

Paxton retrouvait un peu de couleur et, de plus en plus agité, s'empourpra.

— Je peux vous assurer que ceux que nous avons achetés n'étaient pas des faux.

— Je sais, les documents de l'assurance nous l'ont prouvé.

— Alors, comment peuvent-ils être faux à présent ?

Nikki s'assit sur le bras d'un divan qui coûtait plus cher que la plupart des voitures.

— La commissaire-priseuse a pris des photos des tableaux. Nous avons retrouvé son appareil et constaté que les images ne correspondaient pas à celles de l'assurance. Elle avait fait tout un catalogue de faux.

Heat marqua une pause pour laisser ses paroles faire leur effet.

— Donc, entre le moment de l'achat et l'estimation, quelqu'un a interverti les toiles.

— C'est à peine croyable ! Vous en êtes certaine ?

— Absolument. Et Barbara Deerfield en serait parvenue aux mêmes conclusions si elle avait eu le temps d'analyser les images. En fait, je dirais qu'elle a été assassinée parce que quelqu'un ne voulait pas qu'elle s'aperçoive que cette collection à soixante millions de dollars n'était qu'une imposture.

— Vous dites que Matthew essayait de vendre des faux ?

Heat hocha la tête.

— Il n'aurait jamais fait estimer les toiles s'il avait su qu'il s'agissait de copies. Et que faites-vous de tout l'argent et de tout l'ego qu'il avait investis dans son petit Versailles ? Il en aurait fait une maladie s'il s'en était aperçu !

Noah écarquilla les yeux, comme s'il avait une révélation.

— Oh mon Dieu ! Kimberly !

Nikki se leva et, pour le plaisir, s'approcha du John Singer Sargent des deux fillettes inno-centes.

— Kimberly a été la plus rapide. J'ai arrêté une seconde équipe qui est arrivée plus tard, pendant le black-out, et n'a trouvé que des murs nus.

— C'est se donner beaucoup de mal pour quelque chose qui n'a pas grande valeur.

— Kimberly ne savait pas que les peintures ne valaient rien. La veuve éplorée pensait avoir récolté le magot pour compenser son mariage merdique.

— Les autres cambrioleurs aussi pensaient qu'ils valaient une fortune, dit Paxton en indi-quant les tableaux. Sinon, pourquoi essayer de les voler ?

Nikki s'éloigna des tableaux et se plaça face à lui.

— Je ne sais pas, Noah, à vous de me le dire ?

Il prit son temps avant de répondre et l'observa attentivement pour savoir si elle posait une question rhétorique ou si elle insinuait autre chose. Il n'aimait peut-être pas la manière dont elle le regardait, mais il paria pour la rhétorique.

— J'essaie simplement de deviner.

Si la petite séance matinale à la morgue ressemblait à du théâtre, là elle passait au jiu-jitsu brésilien ; elle en avait assez de la boxe. Elle allait lancer un hameçon.

— Vous connaissez un certain Gerald Buckley ?

Paxton fit la moue.

— Ce nom ne m'est pas familier.

— C'est bizarre, Noah. Gerald Buckley vous connaît. C'est le portier de nuit, ici.

Elle le regarda se composer un visage honnête. Nikki le trouvait presque convaincant. Il n'était pas mauvais. Elle était meilleure.

— Je vais vous rafraîchir les idées. Buckley est le type que vous avez engagé pendant le black-out.

— C'est un mensonge ! Je ne le connais même pas !

— C'est vraiment étrange, dit Ochoa, de l'autre côté de l'arche.

Paxton était nerveux. Il n'avait pas vu les deux autres policiers revenir et il se raidit en entendant la suite.

— Moi et mon coéquipier, on est allés se promener à Tarrytown, cet après-midi. On s'est arrêtés dans un bar…

— Un endroit appelé, euh…, le Sleepy Swallow…

— Oh ! je sais plus… C'est bien votre fief ? Tout le monde vous connaît là-bas. Et le patron et une serveuse ont tous les deux reconnu monsieur

Buckley qui s'est attardé à votre table, il y a quelques jours.

— Pendant le black-out, ajouta Raley. À peu près à l'heure où Buckley aurait dû partir pour prendre son service, celui qu'il a annulé.

— Buckley n'est pas notre seul point fort, dit Nikki.

Le regard de Noah n'était plus aussi concentré, et il passait d'un policier à l'autre, au fur et à mesure qu'ils prenaient la parole, comme s'il suivait un match de tennis.

— Le type s'est effondré comme un château de sable.

— Il nous a raconté que vous lui aviez demandé de se rendre au Guilford et de laisser entrer Pochenko par le toit. Juste un peu avant que Matthew Starr se fasse tuer.

— Pochenko ? Qui est Pochenko ?

— Du calme ! Je ne vous bouscule pas, si ? Pochenko est un des personnages que vous n'avez pas reconnus quand je vous ai montré les photos. Je vous les ai montrées deux fois. Une fois ici, et une autre dans votre bureau.

— Vous allez à la pêche. Ce ne sont que des spéculations. Vous vous fiez aux ragots d'un menteur. D'un alcoolique qui a désespérément besoin d'argent.

Paxton se trouvait sous les rayons de soleil qui filtraient par l'une des fenêtres et son front brillait sous la lumière.

— Bon, je le reconnais, j'ai rencontré ce Buckley au Swallow. Mais seulement parce qu'il me harcelait. Je m'étais servi de lui deux ou trois fois pour qu'il s'occupe des paris de Matthew, et il essayait de m'extorquer de l'argent.

Paxton leva le menton et fourra les mains dans ses poches, un langage corporel qui signifiait : « Je m'en tiendrai à cette version. »

— Justement, parlons un peu d'argent, Noah. Vous vous souvenez de cette petite entorse que nos experts-comptables avaient relevée ? Les petites tricheries d'écriture pour dissimuler quelques milliers de dollars ?

— Je vous ai dit que c'était pour envoyer son fils à l'université.

— Bon, considérons que c'est la vérité pour l'instant.

Nikki n'en croyait rien, mais elle appliquait une autre règle du jiu-jitsu : lorsque vous êtes à deux doigts d'effectuer une projection, ne laissez pas l'occasion à l'adversaire de vous infliger un renversement.

— Quels que soient vos mobiles, vous avez couvert vos traces en restituant l'argent il y a deux ans, juste après la vente au marché noir d'une des toiles de la collection, un Jacques-Louis David, pour exactement la même somme. Une coïncidence ? Je ne crois pas aux coïncidences.

— Ça n'existe pas, dit Ochoa en hochant la tête.

— Les flics, ça n'aime pas les coïncidences, dit Raley.

— C'est comme ça que tout a commencé, Noah ? Vous aviez besoin de quelques milliers de dollars, vous avez fait copier un des tableaux, vous l'avez échangé contre le vrai, que vous avez vendu ? Vous avez dit vous-même que Matthew Starr était totalement inculte. Cet ignare ne s'est jamais aperçu de la substitution !

— C'était gonflé ! dit Ochoa.

— Et vous vous êtes enhardi. Une fois que vous avez vu à quel point c'était facile, vous avez essayé avec une autre toile, puis une autre, et toute la collection y est passée, peinture après peinture. Vous connaissez Alfred Hitchcock ? dit Raley.

— Accusez-moi de l'attaque du train postal, pendant que vous y êtes !

— Quelqu'un lui a demandé un jour si le crime parfait avait déjà été commis. Il a répondu oui. Et quand on lui a demandé de dire duquel il s'agissait, il a répondu : « Personne ne le sait, sinon, il ne serait pas parfait. »

Nikki alla rejoindre Ochoa et Raley près de l'arche.

— Je dois le reconnaître : changer les vrais tableaux contre les copies, c'était le crime parfait. Jusqu'à ce que Matthew décide de vendre. Alors, votre secret allait être démasqué. Il fallait réduire la commissaire-priseuse au silence, et vous avez envoyé Pochenko la tuer. Ensuite, vous lui avez demandé de venir ici et de jeter Matthew Starr par le balcon.

— Qui est ce Pochenko ? Vous n'arrêtez pas de me parler de ce type, comme si j'étais censé le connaître.

Nikki lui fit signe d'approcher.

Paxton hésita, jeta un coup d'œil vers la porte d'entrée, mais s'approcha néanmoins.

— Regardez un de ces tableaux. Celui que vous voulez, celui qui vous plaît. Regardez-le bien.

Il s'approcha d'une toile, l'observa longuement et se retourna vers elle.

— Bon, et alors ?

— Quand Gerald Buckley vous a balancé, il nous a également donné l'adresse du garde-meuble. J'ai obtenu un mandat et je suis allée voir. Et devinez ce que j'y ai trouvé ? (Elle fit un geste ample en direction de la collection, suspendue sous les lueurs orangées du coucher de soleil.) La collection originale.

Paxton essayait de garder son sang-froid, mais sa mâchoire retomba. Il se retourna vers les tableaux et regarda celui qui se trouvait tout près de lui.

— Eh oui, Noah, ce sont les originaux que vous avez volés. Les copies sont toujours au sous-sol, dans la caisse du piano.

Paxton commençait à comprendre. Il allait d'un tableau à l'autre, tout tremblant, le souffle rauque.

— Je dois dire que ce garde-meuble est de toute première classe. Température et hydrométrie constantes… Le fin du fin de la technologie. Et parfaitement sécurisé. Ils ont des caméras de surveillance avec la plus haute définition que j'aie jamais vue. Regardez l'image que j'en ai tirée. Elle est petite, mais bien nette.

Paxton tendit une main hésitante. Nikki lui donna une photo prise par la caméra de sécurité. Son teint devint encore plus livide.

— Nous sommes toujours en train d'éplucher les archives. Pour l'instant, on a trouvé une vidéo de vous en train de ranger une des toiles de Matthew Starr dans votre box. Tous les deux mois environ. Cette image en particulier vous montre il y a un mois, avec un très grand tableau.

Elle indiqua un cadre grand format dans le box.

— Celle-là.

Paxton ne prit même pas la peine de se retourner. Il restait bouche bée devant la photo qu'il tenait à la main.

— Mais ce n'est pas celle que je préfère. La voilà, ma préférée.

Elle fit signe à Ochoa qui ôta le drap du cadre proche de lui, un agrandissement d'une autre photo de surveillance.

— Le time code précise qu'elle a été prise exactement une seconde et demie après celle que vous tenez à la main, monsieur Paxton. C'est un cadre monumental. Bien trop encombrant et bien trop précieux pour qu'un homme prenne le risque de le transporter tout seul. Et regardez qui arrive au coin, avec l'autre montant ?

Paxton oublia la photo qu'il tenait et la laissa tomber sur le sol. Les yeux écarquillés, il regardait la photo de surveillance qui le montrait en train de transporter une toile avec l'aide de Vitya Pochenko.

Il baissa la tête et son corps s'affaissa. À tâtons, il chercha le dossier du divan.

— Noah Paxton, je vous arrête pour les meurtres de Matthew Starr et Barbara Deerfield.

Nikki se tourna vers Raley et Ochoa.

— Les meno…

— Armé! s'écrièrent les Gars à l'unisson.

Raley et Ochoa portèrent la main à la hanche. Nikki avait déjà la main sur le holster de son Sig. Mais lorsqu'elle se tourna vers Paxton, il braquait son pistolet vers elle.

— Il l'a pris dans les coussins du divan ! s'exclama Raley.

— Lâchez votre arme, Paxton ! ordonna Heat.

Elle ne dégaina pas, mais approcha d'un pas, essayant de se mettre dans une position idéale pour le désarmer. Il recula de deux pas pour rester hors de portée.

— Non ! Ou je tire !

Sa main tremblait tant que Nikki craignait que la balle parte accidentellement. Elle resta donc immobile. De plus, Raley et Ochoa la couvraient. Si elle se jetait sur lui, elle prenait le risque que l'un de ses hommes ne soit blessé par une balle perdue.

Elle chercha à gagner du temps en le faisant parler.

— Ça ne sert à rien, Noah. Ça ne marche jamais.

— Ça va simplement tourner au carnage, dit Ochoa.

— Ne soyez pas stupide, dit Raley.

— La ferme !

Paxton recula encore d'un pas vers la porte d'entrée.

— Je sais ce que vous voulez faire. Vous essayez de vous enfuir. Mais il n'y a pas d'issue.

Derrière elle, Nikki entendait les pas feutrés sur le tapis des Gars qui se déployaient doucement pour entourer Paxton.

Elle continua à parler pour leur laisser plus de temps.

— Vous devriez savoir qu'il y a une voiture de patrouille devant l'immeuble et des flics dans le hall. Ce sont ceux qui vous ont suivi depuis que Buckley vous a balancé ce matin.

— Vous deux, arrêtez! Le premier qui bouge, je le descends!

— Faites ce qu'il demande, dit Heat en se tournant vers eux. Vous m'avez comprise? Je ne plaisante pas.

Nikki se servit de la rotation de son corps pour que Paxton ne voie pas qu'elle avait sorti son arme. Elle laissa sa main retomber sur le côté et tint le pistolet contre sa cuisse pour refaire face à Paxton.

Il avait profité de cet instant pour reculer encore. Sa main libre était posée sur le bouton de la porte.

— En arrière!

Ils gardèrent leur position. Nikki continuait à lui parler tout en tenant son arme derrière elle.

— Vous connaissez bien les chiffres, non? Alors, à votre avis, quelles sont vos chances d'arriver jusqu'à la rue?

— La ferme! Je réfléchis.

— Non, vous ne réfléchissez pas.

Sa main tremblait de plus en plus.

— Quelle importance? Je suis fichu.

Mais vous n'êtes pas mort. Vous préférez avoir affaire à votre avocat ou à votre croque-mort?

Il réfléchit un court instant, bougeant les lèvres en un étrange dialogue intérieur. Au moment où Nikki pensait qu'il était revenu à la raison, il ouvrit la porte. Elle leva son arme, mais Paxton avait déjà disparu derrière la porte et courait dans le corridor.

La suite se déroula très vite. La porte claqua au moment où Nikki arrivait. Derrière elle, elle entendait des holsters qui s'ouvraient, des pas et la voix de Raley dans le talkie-walkie.

— Le suspect pèse soixante-cinq kilos. Armé, je répète, armé, au sixième étage. Des agents le poursuivent.

Heat s'aplatit contre le mur, l'épaule au niveau de la porte, son arme à la main, les jambes écartées, en position de tir.

— Couvrez-moi, dit-elle.

Ochoa se déplaça avec une précision d'horlogerie. Lentement, accroupi sur un genou, son Smith & Wesson dans la main droite, il tenait de la gauche le bouton de la porte.

— À vos ordres.

Sans marquer de pause, Heat cria :

— Go !

Ochoa ouvrit la porte et la tint pour elle. Nikki pivota autour du chambranle, stabilisant sa visée. Elle se figea, toujours en position de tir, hocha la tête et murmura :

— *Mamma mia…*

Ochoa et Raley arrivèrent derrière elle et s'arrêtèrent aussi. Raley prit sa radio.

— À toutes les unités, le suspect a un otage.

Rook se tenait au milieu du couloir, avec Paxton derrière lui qui lui braquait son pistolet contre la tempe. Il adressa un regard timoré à Nikki.

— Je suppose que c'est Noah, alors !

20

— Arrêtez de gigoter ! dit Noah Paxton.

Rook commença à tourner la tête pour parler à son agresseur, mais Paxton lui enfonça le canon de son arme dans le crâne.

— Hé !

— Je vous ai dit de vous tenir tranquille !

— Faites ce qu'il dit, Rook !

Nikki avait le Sig Sauer en position, le regard fixé sur la mince partie de Noah Paxton qui ne disparaissait pas derrière son bouclier humain. Elle n'avait pas besoin de se retourner pour savoir que Raley et Ochoa faisaient la même chose derrière elle.

Rook leva les sourcils d'un air contrit et la regarda comme un enfant qui venait de casser la lampe du salon avec sa balle de base-ball.

— Je suis désolé…

— Rook, taisez-vous !

— Maintenant, je ferai tout ce que vous me direz.

— Commencez par la fermer !

— D'accord… Oups… Désolé !

— Posez vos armes ! cria Paxton. Tous !

Heat ne répondit pas, car une confrontation verbale risquait d'augmenter les tensions. Pour toute réponse, elle resta plantée sur ses jambes, puis lui parla d'un ton calme.

— Vous êtes assez intelligent pour savoir que vous ne vous en sortirez pas, Noah. Alors, pourquoi ne pas le relâcher et mettre fin à cette histoire gentiment.

— Elle a raison, vous savez, dit Rook.

Heat et Paxton lui crièrent de la boucler en même temps.

Paxton tenait une poignée de tissu de la chemise de Rook dans la main gauche afin de le garder près de lui. Il tira dessus.

— Recule !

Comme Rook ne bougea pas, Noah le tira brusquement.

— J'ai dit : « Recule ! » C'est ça... Allez, doucement...

Il entraîna Rook en arrière, pas de souris après pas de souris, en direction de l'ascenseur. Lorsqu'il s'aperçut que les policiers avançaient, eux aussi, il s'immobilisa.

— Restez en arrière !

Heat et les Gars s'arrêtèrent, sans battre en retraite.

— Je n'ai pas peur de tirer, avertit Paxton.

— Tout le monde le sait.

Elle avait l'air calme et semblait avoir le commandement.

— Mais vous n'en avez pas envie.

Paxton bougea légèrement son arme pour ajuster sa prise, et Rook glissa un peu en avant pour être aussitôt ramené en arrière.

— Ne fais pas l'andouille !

De nouveau, Noah poussa le canon contre son crâne, juste derrière l'oreille.

— Il suffit d'une balle. Tu as une idée de ce que cela va donner.

Rook hocha la tête autant qu'il l'osait.

— Des œufs brouillés.

— Quoi ?

— Comme un coup de marteau dans des… Oh ! peu importe, je n'ai pas envie d'en parler.

Une fois encore, Paxton le tira par la chemise et ils poursuivirent leur chemin vers l'ascenseur. Une fois encore, les policiers avancèrent. Alors que tous approchaient des portes, Nikki leva les yeux vers l'affichage des étages. Il signalait que la cabine attendait au sixième.

Heat murmura d'une voix à peine audible.

— Raley.

— Oui ?

— Faite-moi descendre cet ascenseur !

Derrière elle, Raley appuya sur le bouton de son micro et annonça doucement.

— Appelez l'ascenseur qui est au six. Tout de suite…

Paxton entendit la cabine se mettre en branle derrière lui.

— Qu'est-ce que vous vous imaginez ?

Il se retourna juste à temps pour voir le six s'éteindre et le cinq s'allumer. Il ne bougea pas assez pour que Nikki ait une cible facile, mais, pendant qu'il était distrait, elle avança de deux pas.

— Stop ! hurla-t-il en se retournant.

Elle s'arrêta. Elle avait réduit l'espace qui les séparait et ne se trouvait plus qu'à trois mètres. Ce n'était pas encore suffisant, mais la distance était moindre. Elle ne voyait pas le visage de Paxton et ne discernait que ses yeux, qui observaient dans l'interstice entre l'arme et le crâne de Rook. Sa voix était pleine de rage.

— Vous voulez me coincer...

— Vous ne sortirez pas, je vous l'ai déjà dit.

Elle s'efforçait de garder une voix posée pour contrebalancer sa fureur.

— Je vais tirer.

— Il est temps de poser votre arme, Noah.

— Vous aurez son sang sur les mains.

Rook croisa son regard et forma le mot « tirez » avec la bouche. Comme elle n'avait aucun angle de tir, elle esquissa un faible mouvement de tête pour lui dire que non.

— Vous avez merdé, lieutenant. Vous le savez ? Dommage que Pochenko n'ait pas pu terminer le boulot avec vous.

Nikki cligna des yeux et un poids lui tomba sur l'estomac.

— C'est vous qui étiez derrière tout cela ? demanda Rook.

— Laissez tomber, Rook, dit Nikki, luttant pour ne pas se laisser émouvoir.

Derrière elle, elle entendit les murmures de Raley et Ochoa qui laissaient échapper le mot de cinq lettres.

— C'est vous qui avez envoyé ce sauvage chez elle ? continua Rook, les narines dilatées. Vous l'avez envoyé chez elle !

Sa poitrine se soulevait à chaque inspiration, comme si sa colère s'enflammait.

— Espèce de fils de... pute.

Il pivota, éloignant son corps de l'arme, et se jeta par terre. Un coup de feu retentit dans le corridor au moment où il tombait sur le sol. Paxton s'effondra sur un genou à côté de lui ; un filet de sang qui partait de son épaule coulait sur Rook. L'arme était sur le tapis, mais Noah la rattrapa.

Nikki plongea et l'immobilisa. Elle retourna Paxton sur le dos et le bloqua au sol en lui enfonçant les genoux dans la poitrine. Il avait toujours l'arme à la main, mais il n'eut pas le temps de s'en servir. Elle lui braquait son Sig Sauer à quelques centimètres du visage. Il regarda sa main armée, essayant de calculer ses chances.

— Allez-y. J'ai besoin d'un nouveau chemisier de toute façon.

À La Chaleur, le café-terrasse au pied du Guilford, la foule des travailleurs tendait le cou pour observer l'activité de la police. Le soleil venait à peine de se coucher et, dans l'obscurité paisible, les lumières des voitures de police et des ambulances se reflétaient dans leurs verres de Cosmopolitan et de Sancerre à dix-huit dollars.

Entre le café et les marches du bâtiment, les lumières clignotantes se reflétaient sur le dos des policiers en civil qui faisaient face au lieutenant Heat. L'un d'eux rangea son carnet. Ils se serrèrent la main. Nikki s'adossa à la façade de pierre chaude et observa la police des polices qui retournait vers la Crown Victoria.

Rook vint la rejoindre.

— Allez-y. J'ai besoin d'un nouveau chemisier, de toute façon !

— Je pensais que c'était cool comme avertissement. (Elle essaya de déchiffrer son expression.) Quoi ? Trop midinette ?

— Ça a capté son attention.

Il suivit son regard, tourné vers l'équipe qui s'éloignait dans les voitures.

— Personne ne vous a demandé de rendre votre badge et votre arme, j'espère ?

— Non, tout le monde pense que je serai blanchie. En fait, ils s'étonnent même que je ne l'aie pas tué.

— Ce n'est pas ce que vous vouliez ?

Elle réfléchit une fraction de seconde et répondit :

— Il est vivant, non ?

Elle laissa cette simple phrase combler les détails.

— Si j'ai besoin d'exprimer des désirs de vengeance, je me passe un film de Charles Bronson. Ou de Jodie Foster. D'ailleurs, c'est vous que je visais, c'est vous que j'avais envie de tuer.

— Et dire que je vous ai signé une décharge !

— J'ai raté ma chance, Rook. Ça va me hanter.

Les Gars sortirent du bâtiment.

— Les toubibs le sortent, dit Ochoa.

Nikki attendit qu'on descende le brancard de Paxton et qu'on le fasse rouler le long du trottoir avant de s'approcher, suivie de Raley, Ochoa et Rook. Dans les lumières dures des projecteurs de l'ambulance, le visage de Noah avait la couleur d'une huître. Elle se renseigna auprès des infirmiers.

— On peut lui parler ?

— Une minute ou deux, pas plus.

Heat se pencha au-dessus de lui.

— Je voulais juste vous dire qu'il était sorti quelque chose de bon de cette petite prise d'otage. Votre arme. Un 6.35. Le calibre avec lequel Pochenko a été tué. On va effectuer des tests balistiques. Et examiner vos mains, pour voir s'il y a des résidus de poudre. Qu'est-ce qu'on va trouver à votre avis ?

— Je n'ai rien à dire.

— Comment ça ? Pas d'info exclusive ? Pas grave, j'attendrai les résultats. Vous voulez que je vous appelle dès que je les aurai, ou vous préférez attendre le procès ?

Paxton détourna le regard.

— Dites-moi. Quand vous vous êtes précipité ici pour venir prendre les tableaux, vous aviez l'intention de vous en servir sur Kimberly Starr ? C'est pour cela que vous l'aviez sur vous ?

Comme il ne répondait pas, elle s'adressa à son équipe.

— Kimberly me doit une fière chandelle !

— Et comment ! dit Raley.

— Vous lui avez sauvé la vie en l'arrêtant !

Noah se tourna vers elle.

— Vous l'avez déjà arrêtée ?

Heat hocha la tête.

— Cet après-midi, juste après avoir retrouvé les toiles au sous-sol.

— Mais ce coup de téléphone… Celui que vous avez enregistré ?

— Elle était déjà en garde à vue. Kimberly a passé cet appel à ma demande.

— Pourquoi ?

— Pourquoi ? Pour que vous veniez voir notre petite exposition.

Nikki fit un signe aux infirmiers et s'éloigna de manière à voir le dernier regard de Noah Paxton avant qu'on l'emmène.

La vague de chaleur prit fin dans la nuit, et de manière fort peu paisible. En suivant l'Hudson, le front froid qui descendait du Canada entra en collision avec la masse d'air chaud stagnante qui planait au-dessus de New York, ce qui déclencha une avalanche d'éclairs, des vents tourbillonnants et une pluie battante. À la télévision, les météorologistes s'autocongratulaient en montrant des taches rouges et vermillon sur les radars, tandis que les cieux s'ouvraient et que le tonnerre grondait comme un tir de canon dans les canyons de verre et de pierre de Manhattan.

À Tribeca, sur l'Hudson, Nikki ralentit pour éviter d'éclabousser les convives qui se réfugiaient sous les parapluies devant chez Nobu, priant en vain qu'un taxi libre puisse les ramener chez eux. Elle s'engagea dans la rue de Rook et glissa la voiture de police sur une place de livraison, à un pâté d'immeubles de chez lui.

— Vous êtes toujours en colère contre moi ?

— Pas plus que d'habitude. (Elle arrêta le moteur.) Je ne parle pas beaucoup quand je viens de résoudre une affaire. Comme si on m'avait lessivée.

Rook hésita un instant. Il avait quelque chose en tête.

— Bien, merci de m'avoir raccompagné.

— Je vous en prie.

Des éclairs à la *Frankenstein* tombèrent si près que leurs visages furent inondés de lumière au moment précis où le coup de tonnerre explosa. De petits grêlons commencèrent à marteler le toit.

— Si vous voyez les chevaliers de l'Apocalypse, planquez-vous ! dit Rook.

Elle esquissa un petit rire qui se transforma en bâillement.

— Sommeil ?

— Non, fatiguée. Je suis bien trop énervée pour dormir.

Ils écoutèrent l'orage gronder. Une voiture passa près d'eux, soulevant une gerbe d'eau jusqu'en haut des roues.

Il finit par briser le silence.

— Écoutez, j'ai beaucoup réfléchi, et je ne sais pas comment m'y prendre. On travaille bien ensemble, plus ou moins. On a couché ensemble, ça, c'est sûr. On a passé une nuit de folie, et le lendemain, « Ne me tenez pas la main », même pas dans l'intimité d'un taxi ! J'essaie de comprendre les règles. Ce n'est pas une question de yin et de yang, c'est plutôt yin et oust ! Ces derniers jours, je me suis dit, bon, d'accord, elle ne mélange pas le sexe, l'amour et le travail obsessionnel d'une enquête. Alors, je me demande... Est-ce que la solution, c'est que je renonce à notre relation de travail ? Que je mette fin à mes recherches pour mon article afin qu'on puisse...

Nikki l'attrapa et l'embrassa profondément. Puis elle s'écarta et demanda :

— Ça vous arrive de vous taire ?

Avant qu'il puisse répondre, elle se jeta à nouveau sur lui et pressa les lèvres sur les siennes. Il lui passa les bras autour de la taille. Elle décrocha sa ceinture de sécurité et s'approcha de lui. Leurs visages et leurs vêtements étaient trempés de sueur. Un nouvel éclair illumina la voiture derrière les fenêtres embuées par la chaleur de leurs corps.

Nikki l'embrassa dans le cou et lui mordilla l'oreille.

— Tu veux vraiment savoir ce que je pense ?

Il se contenta de hocher la tête, sans dire un mot.

Le grondement sourd du tonnerre retentit enfin. Lorsqu'il se tut, Nikki se redressa, prit les clés et coupa le contact.

— Voilà ce que je pense. Après toute cette histoire, j'ai de l'énergie en réserve. Tu as du citron, du sel et une bouteille intéressante ?

— Bien sûr.

— Alors, tu devrais m'inviter à monter, et on verra ce qui se passe.

— Je vais te mordre la langue.

— Tu vas voir !

Ils sortirent de la voiture et se précipitèrent vers l'immeuble. À mi-chemin, Nikki lui prit la main et se mit à rire en courant le long du trottoir. À bout de souffle, ils s'arrêtèrent en bas des marches et s'embrassèrent. Deux amants qui se laissaient tremper par la pluie nocturne rafraîchissante.

Remerciements

Lorsque j'étais encore un jeune garçon laissé à lui-même, j'ai eu la chance de tomber sur un exemplaire du *National Geographic* qui parlait des exploits de Sir Edmund Hillary, l'alpiniste néo-zélandais légendaire qui avait été le premier à accomplir l'ascension du mystérieux mont Everest. Dire que cet article m'avait fait grande impression tient de l'euphémisme. Pendant deux semaines du glorieux été de mes dix ans, j'étais bien décidé à devenir le plus grand alpiniste du monde (bien que je n'aie à l'époque jamais vu la moindre montagne et connu encore moins les canyons urbains de New York).

Dans mon désir de surpasser Sir Edmund, j'ai embarqué mon ami Rob Bowman, dont le frère aîné jouait au football dans la Pop Warner. J'ai emprunté les crampons du frère de Rob et chapardé un marteau au supermarché pour m'en servir de piolet. J'étais arrivé à mi-chemin du mur de la maison lorsque ma mère est arrivée. Les pentes piégeuses et ardues de l'Everest ne surent attendrir ma mère, et ma brillante carrière d'alpiniste s'est terminée bien avant que j'atteigne le sommet... ou le plafond.

Ce ne fut que bien plus tard que j'appris l'existence de Tenzing Norgay. Si Edmund Hillary est reconnu comme le premier homme ayant réussi la conquête de l'Everest, il n'y serait jamais parvenu sans l'aide de M. Norgay. Pour ceux qui ne sont pas familiarisés avec cette grande aventure, Tenzing Norgay était le sherpa de Sir Edmund Hillary.

Chaque fois que j'arrive au chapitre des remerciements d'un livre, je repense à Tenzing Norgay, ce héros inconnu de l'ascension de l'Everest.

Tout comme Sir Edmund, moi, l'auteur de ce livre, je recevrais les louanges pour tout ce que contiennent ces pages. Pourtant, j'ai eu mes propres Tenzing Norgay qui m'ont conseillé, guidé, encouragé et m'ont aidé à porter mes bagages, tant physiques qu'émotionnels. Ils étaient près de moi pour me pousser à continuer, pour m'inspirer et me rappeler de ne pas regarder le sommet, mais de faire attention à l'endroit où je posais les pieds. En me guidant pas à pas, ils m'ont ouvert la voie.

J'ai donc un certain nombre de personnes à remercier.

D'abord et surtout, ma fille Alexis, qui me remet toujours sur mes pieds, et ma mère, Martha Rodgers, qui m'oblige à garder les pieds sur terre. Dans la grande famille Castle, j'adresse des remerciements particuliers à la charmante Jennifer Allen, ma première lectrice et à Terri E. Miller, ma partenaire en criminalité. Soyez assez chanceux, cher lecteur, pour connaître des femmes d'une telle qualité.

Je remercie, à contrecœur, Gina Cowell et le groupe de Black Pawn Publishing, dont les menaces de poursuites m'ont poussé, bien malgré eux, à prendre la plume. Je remercie également l'équipe formidable d'Hyperion Books, en particulier Will Balliet, Gretchen Young et Elizabeth Sabo.

Je tiens à exprimer ma gratitude à mon agent chez ICM, Sloan Harris, et à lui rappeler que, si ce livre est un succès, j'espère qu'il révisera mon contrat à la hausse.

J'ai aussi une grande dette envers Melissa Harling-Walendy et Liz Dickler, qui ont participé au développement de ce projet, et à mes amis, Nathan, Stana, Jon, Seamus, Susan, Molly, Ruben et Tamala. Que vos jours soient longs et continuent à être remplis de rires et de grâces.

Et je remercie également mes deux sherpas loyaux et dévoués, Tom et Andrew… Merci pour ce voyage. À présent que je suis arrivé au sommet en votre compagnie, j'ai l'impression que les étoiles sont à portée de main.

R. C.
Juillet 2009

Achevé d'imprimer par N.I.I.A.G.
en février 2014
pour le compte de France Loisirs, Paris

N° d'éditeur : 75999
Dépôt légal : mars 2014
Imprimé en Italie